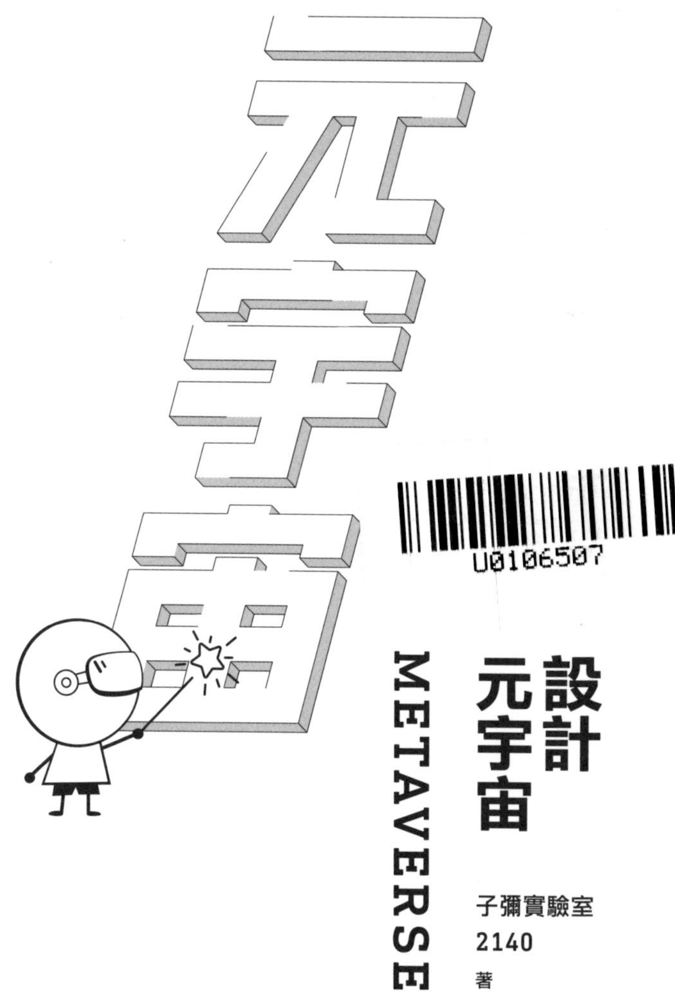

設計元宇宙

METAVERSE

子彌實驗室
2140
著

目錄 Contents

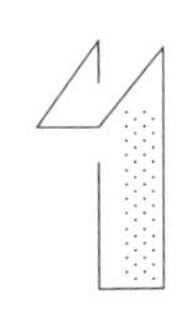

人類“創世紀”

“創世紀”前傳

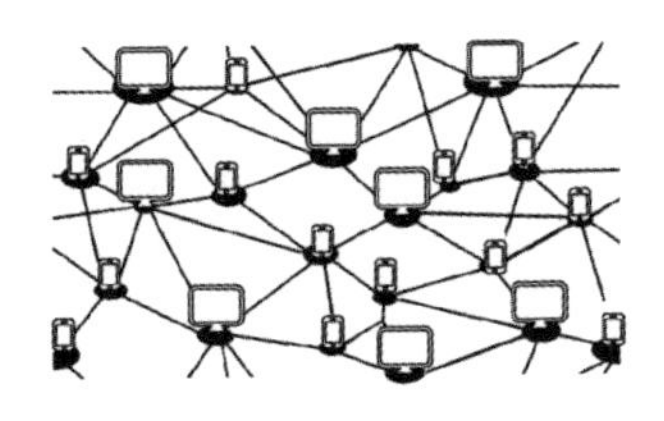

那些夢中的“綠洲”

- 029 -

設計元宇宙

- 051 -

2140，一個元宇宙“樣本”

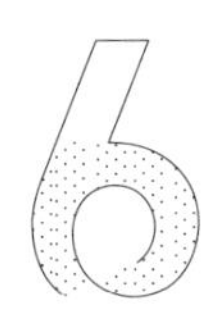

創世之後：我，元宇宙，2140

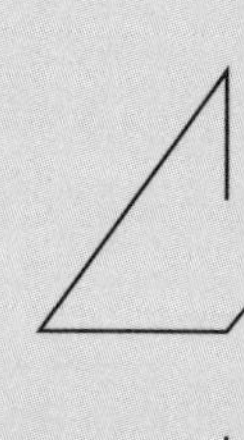

人類"創世紀"

傳說，猶太人的祖先亞伯拉罕反對過去部落中傳統的多神信仰，堅信日月星辰之上另有更偉大的唯一造物主。當時的貴族擔心他的唯一神信仰會動搖統治根基，因此將他放逐至迦南。

雖然亞伯拉罕的後代在異族領土受盡苦難，但先人留下的唯一神信仰傳說卻得以更系統地孕育、完善和流傳。

起初，世間萬物一片混沌，只有一位被稱為“上帝”的全知全能的神，上帝說要有光，於是天地間有了第一束光。

未來的幾日，上帝又創造了空氣、海洋、草木、動物等，世間萬物因此誕生。

第六日，上帝造出一切活物後，按照自己的形象創造出第一個男人亞當。上帝將他留在伊甸園，又想他一個人孤單，於是抽出他的一根肋骨，創造出第一個女人，便是夏娃。

上帝囑咐二人不可吃園中央那棵樹上的果實，但夏娃受到蛇的引誘，將禁果拿給亞當，兩人都吃了，因此獲得了智慧，但偷吃禁果的行為冒犯了上帝。

當上帝發出詰問，亞當將責任推給夏娃，夏娃又辯稱自己是受了毒蛇的引誘，於是上帝認為他們的罪孽更加深重。

上帝將二人趕出伊甸園，叫男子永受飢餓和勞作之苦，女子永受分娩之苦。

帶著罪孽的兩個人來到人間，繁衍生息，於是罪孽也在人間繁衍生息，他們的後代在此爭權奪利，欲望橫流。上帝見此惡狀，決心降下滅世洪水，唯許諾亞一家建造方舟，帶著諸多生靈，在滅世之後的大地上繼續生存。

但幸存的人類後代再次變得傲慢，他們企圖建起通天的巴別塔登上天國，面見上帝。

上帝聞之慍怒，讓人類的語言不再相通，從此，人類不再相互理解，也難再團結一心，於是巴別塔的興建徹底失敗。

……

這些故事歷時幾百年，直到摩西帶領猶太族人走出埃及，回到自己的家園，才得以被系統地記錄下來，至此，猶太教及基督教信徒眼中的世界框架基本形成。

在信徒眼中，人類因冒犯上帝而失去了統一的語言，失去了同心協力的能力，是從伊甸園中帶著原罪被驅逐出來的，所以，人生在世就是為了受苦受難，從而救贖靈魂。

從西方神話的視角看，這是上帝的“創世紀”，但從歷史唯物主義的視角看，這一切都是人類自己的“創世紀”。

在遠古的、艱難的、蒙昧的時代，人與自然的矛盾尖鋭而殘酷，因此人們將希望寄予抽象的神秘力量，創造出一個自己幻想中的“全知全能”的神，經過漫長時間的苦難洗禮，這個關於“神”的故事被不斷補充完善，最終，一種能夠自圓其説的信仰誕生了。

不僅是上帝的“創世紀”，而且在人類文明的蒙昧時期，各式各樣關於世界和人類起源的傳説可謂遍地開花：古代中國文明有女媧造人，古印度文明有梵天宇宙，古希臘文明有奧林匹斯神系……

與西方文化中“全知全能”的上帝幾乎是信手拈來的“創世紀”不同，中國上古神話中的多神創世似乎更“接地氣”。

中國上古神話認為，天地鴻蒙之初，盤古開天闢地，後垂死化身：氣成風雲，聲為雷霆，左眼為日，右眼為月，四肢五體為四極五嶽，血液為江河，肌肉為田土，髮髭為星辰，皮膚為草木，齒骨為金石，精髓為珠玉，汗水為雨澤，身之諸蟲，因風所感，化為黎甿。由此，天地初成，萬物始於盤古。

後女媧行至河邊，看到自己的倒影，心感孤獨，便以黃土造人。

再之後，天柱傾倒，大地裂毀，大火蔓延不熄，洪水氾濫不止。在這種情況下，女媧冶煉五色石來修補蒼天，砍斷海中巨鼇的腳來做撐起天空的天柱，用堆積起來的蘆灰堵塞洪水，用自己的辛勞重整世界，為人類的生存創造必要條件。

災禍雖除，但上古時期的人類依靠打獵為生，茹毛飲血，直到燧人氏獲得了會生火的寶石，學會擊石取火，將取火的方式傳授給人們。火能熟食，亦能驅獸，先人們的生命和健康得到了很大的保障。但蒙昧時期，人類的生活依舊艱苦，人們仍然食不果腹、飢寒交迫。他們苦思宇宙的奧秘，仰觀日月星辰的變化，經年累月，終於洞悉陰陽奧秘。他們畫下八卦圖，打開人們理性的大門。

……

儘管出於諸多歷史原因，華夏民族的創世傳説大量散失，很難尋覓出一個完整的、系統的版本，但我們依然能夠就其內容大致推測出祖先對安穩環境的渴求及更高的精神追求。

對於這種現象，可以用“逃避主義”來進行解釋。

逃避是人類與生俱來的本能，人類曾經的“創世紀”也是“逃避主義”的一種體現：在刀耕火種時期，人類為了逃避世界的不確定性，逃避對自然的恐懼，便自己創造出確定性的東西，以彌補不確定性帶來的恐懼和不安，來獲取相應的心理安慰，實現精神上的滿足。在這種情況下，人類創造出了“上帝”、“女媧”、“盤古”這樣的創世神靈傳説。

“逃避”並非一個貶義詞，相反，它在整個人類文明發展歷程中起到了積極的推動作用。在逃避的過程中，人類需要藉助各種文化手段，包括語言、工具及故事，來補償心理和精神的缺失。

換句話説，逃避的過程，也是創造文化的過程。

所以，在“逃避主義”的驅動下，人類的目標活動不斷變化。逃避世界的神秘，於是創造了神；逃避現實的苦惱，於是創造了美麗的虛擬世界。

詩詞、戲劇、小說、電影、遊戲、VR，它們的本質是相同的，都是人類“逃避”現實的體現，人類渴望在一個全新的世界中來彌補自己在現實世界的缺失 —— 人類本身就具有在虛擬世界中努力補償現實世界所缺失的東西的本能。

不過，文明的發展也讓人類社會向更複雜的方向演化，史前時代人類對整個物種的來源與歸宿的懵懂反思被拆解成在不同領域的學習和探索，人類的創作分流出不計其數的樣式和流派，隨著人類在各領域的探索越發深入，內容也逐漸變得更加細碎化。

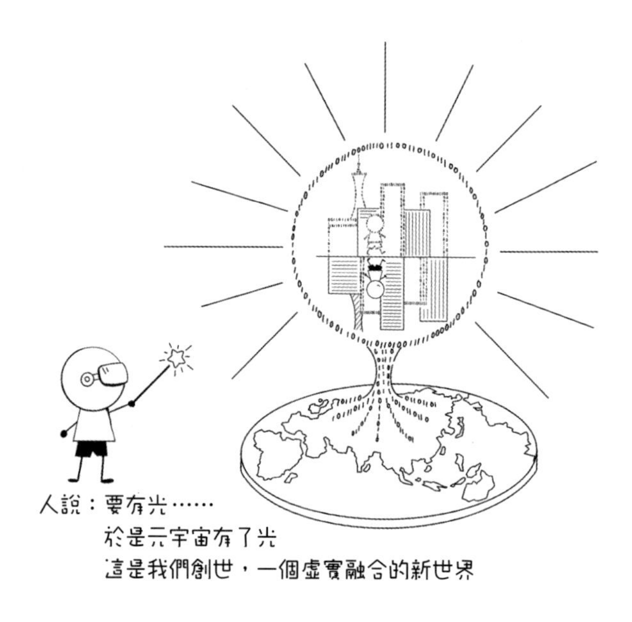

　　而元宇宙的出現，將宣告“神話回歸”，人類紛繁複雜的文明可以被統一呈現，人類將重拾“創世紀”。我們可以把元宇宙看成“逃避主義”的另一次延伸，也是文化的更高層級的創造。人類創造虛擬世界，是為了逃避現實世界，去虛擬現實中追求現實世界無法獲得的東西。且這一次，人類不再是“創世紀”的產物，而是“創世紀”的主導者。在元宇宙中，人類就是萬物的主人。

× − +

“創世紀” 前傳

METAVERSE

如果把元宇宙看成人類新時代的“創世紀”，那麼在這次“創世紀”之前，其實已有“前傳”的存在。

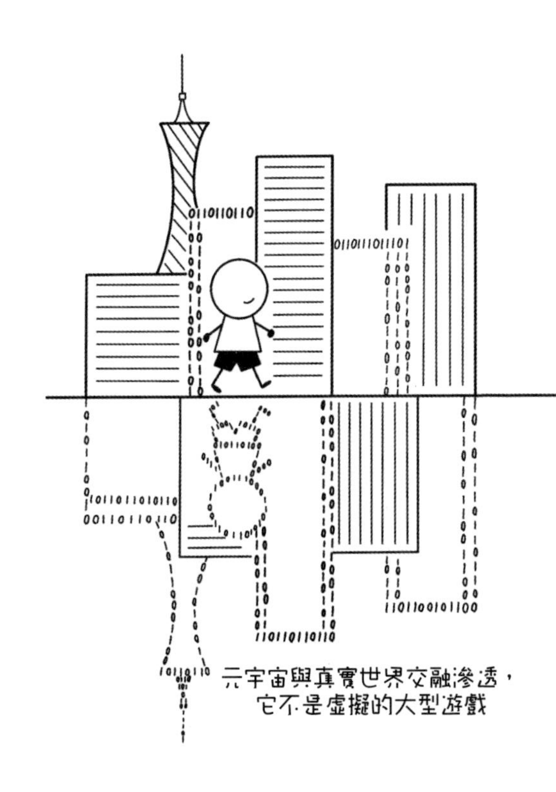

在“元宇宙”這一概念爆火前，人們對於這一美好新世界的想象一直停留在另一個概念上：虛擬世界。兩者有許多相同點，但不同的是，元宇宙是更加成熟的“虛擬世界”，它將“虛擬世界”和“現實世界”結合起來，讓人類的創世夢想逐漸變成現實。

虛擬世界的發展歷程，就是元宇宙的“前傳”。

在了解元宇宙前傳之前，我們先明確一下虛擬世界的定義：虛擬世界是一種持續在線的計算機生成環境，在這種環境中，處於不同物理位置的用戶可以以工作或娛樂為目的進行實時交互。

在這一章中，我們把創世紀前傳分為以下五個階段。

啟蒙階段：

計算機文本的交互。

進化階段：

2D 圖形界面與多人社交。

同維階段：

三維世界的建立。

突破階段：

虛擬經濟系統

的出現。

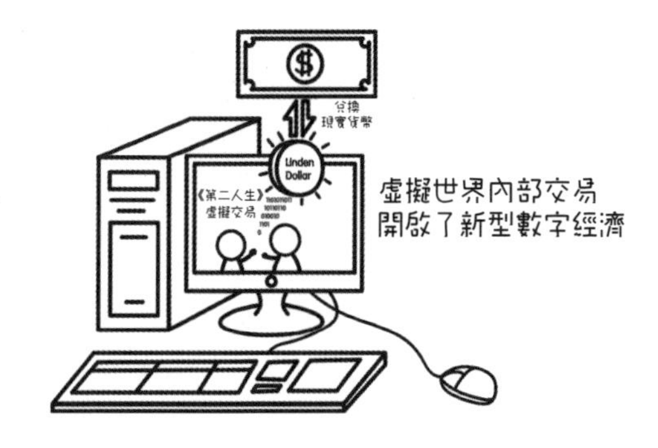

破立階段：

去中心化思想

的出現。

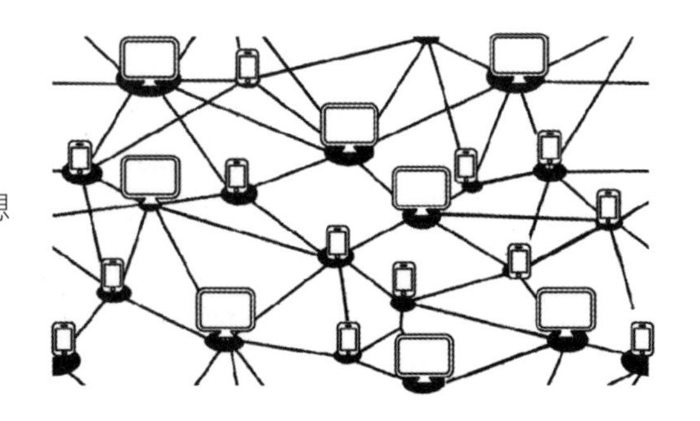

接下來我們通過對這五個階段的剖析，來具體講述元宇宙的“前世”。

啟蒙階段：計算機文本的交互

虛擬世界的啟蒙階段始於 20 世紀 70 年代末。隨著計算機技術的發展，電腦不再是實驗室的專屬，普通人也可以擁有自己的電腦；而網絡技術的誕生，讓不同地域的玩家能夠在同一個世界裏一起遊玩。基於這兩點，面對面互動向虛擬互動的轉變有了實現的可能。

在這一階段，主要有兩種類型的互動方式：MUD（Multi-User Dungeon）、MUSH（Multi-User Shared Hallucination）。

MUD：多用戶網絡遊戲

1978 年第一個 MUD 誕生，玩家可以直接使用終端模擬程序進行聯機遊戲，通過輸入類似自然語言的指令與虛擬世界中的其他玩家或 NPC（非玩家控制角色）進行互動。

第一個 MUD 的聯合創造者 Bartle 説：“神創造虛擬世界，設計師就是那些神明。”

MUSH：多用戶共享幻覺

MUSH 比 MUD 社交性更強，允許多人在一個人工環境中互動，玩家更多以協作的方式解決問題，而不僅僅是完成自己的任務和與怪物進行對抗。

MUD 和 MUSH 的出現，宣告著虛擬世界的大門正式開啟。

MUD 是第一款真正意義上的實時多人交互網絡遊戲，儘管文字帶來的信息是有限的，但玩家可以通過無限想象力，去創造一個與現實世界完全不同的虛擬世界，舉例如下。

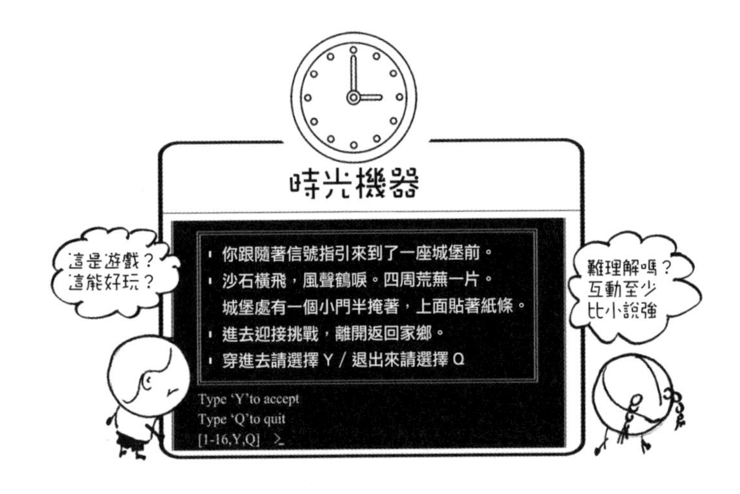

註：當時的交互文字為英文，中文只是為了便於本文理解

對於上面的遊戲內容，在出現相應的文字提示後，你便可以選擇自己下一步的行動，如“穿進去”，系統處理後便會再次輸出你所在的新的位置，並給出下一個劇情的提示，如此循環。

這是一個最簡單的虛擬世界，人人皆可參與，用文字和想象力去表達一個未知的世界。玩家通過與計算機文本互動的方式，可以構建出自己想要的虛擬世界。

這種計算機文本交互的形式，為虛擬世界種下了一顆種子。

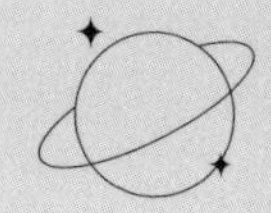

進化階段：2D 圖形界面與多人社交

文字能夠激發人的想象力，同一段文字在不同人心裏可能是完全不同的世界。

儘管如此，依託文本創建而成的虛擬世界，無法給玩家帶來直接的感官刺激，玩家也無法在虛擬世界中獲得更加真實的創造感。

隨著計算機技術的發展，圖形遊戲取代了文本遊戲，MUD遊戲逐漸退出了歷史舞台。

1981 年，科幻小説《真名實姓》（*The Names*）出版，初步構造了一個豐富的“賽博空間”。

1986 年，科幻小説《神經漫遊者》（*Neuromancer*）出版，普及了“賽博空間”的早期概念。

不久後，Habitat 登上了時代舞台。Habitat 是一款多人在線角色扮演的大型遊戲，這是創造一個大規模的商業化的虛擬世界的首次嘗試。

它是第一個包含圖形界面的虛擬世界，也是第一個在虛擬世界中使用 Avatar 來描述其數字居民生活狀態的遊戲。

Avatar 即化身，在當時的科幻小說中，對於虛擬世界的幻想幾乎都會提到這個詞。

在 Habitat 中，依託 Avatar，玩家可以在遊戲內根據性別、職業等定製一個圖形化的虛擬形象，並通過第三視角與其他玩家互動，增強沉浸感。

Habitat 是一個龐大且具有想象力的虛擬世界，每個人都可以在其中冒險、戀愛、結婚⋯⋯它是開放且多元化的，設計者並沒有為虛擬世界的數字居民提供一系列的固定目標，而是為玩家提供了可以選擇的各種可能的活動。同時，製作人還讓渡一部分設計權給玩家，這樣的嘗試為後來的 UGC（User Generated Content，用戶生成內容，也為用戶原創內容）工具的開發奠定了基礎。

從文本互動到 2D 圖形界面，玩家從依靠想象轉為直接面對具象模型，讓大眾更願意接受這樣的虛擬世界。

在構成虛擬世界的元素中增加了多人互動及社交。設計權的讓渡，表明虛擬世界正朝著內容開放的方向前行。

在大顆粒像素的時代，
元宇宙元素已經萌芽

第二階段可以視為虛擬世界的進化 —— 畫面、沉浸感、多人互動社交、內容開放……在這一階段，你甚至可以看到元宇宙中的一些元素了。

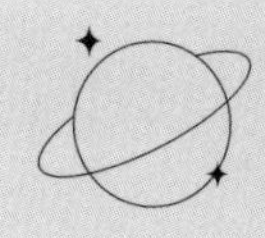

同維階段：三維世界的建立

20 世紀 90 年代，計算機性能和圖形處理技術快速發展，平面遊戲開始慢慢向 3D 遊戲轉變。

與平面遊戲相比，3D 遊戲引入了立體坐標，與真實世界更加貼近。同時，3D 遊戲的操作性更強，為玩家帶來了更多挑戰。

在這一階段，虛擬世界慢慢與現實世界處在了同一個維度，與此同時，在這一階段還出現了用戶創建內容、開放式社交、社區自治等新元素。

1994 年，Web World 誕生，它是第一個多人社交遊戲，用戶可以實時聊天、旅行、改造遊戲世界，正式開啟了虛擬世界中的 UGC 模式。

1995 年，Worlds Inc 開啟了第一個全新的 3D 虛擬世界。Worlds Inc 的每一個玩家都是這個虛擬世界的參與者，沒有人是主角，或者説人人都是主角，它強調遊戲世界的開放性。

與此同時，Active Worlds 誕生，迅速成為最重要的 3D 社交虛擬世界，吸引了眾多的用戶，規模呈指數級增長。玩家不僅可以創建自己的遊戲環境（用戶創建內容），還可以與其他用戶進行協作，共同搭建建築。

Active Worlds 是基於小說《雪崩》創作的，以創造一個元宇宙為目標，提供了基本的內容創作工具來改造虛擬環境。

隨著 Active Worlds 的發展，其社交屬性也比前兩個階段的虛擬世界更加明顯，同時個人的數字身份也顯著加強，所屬權的歸屬和群體的分化也與真實世界趨於一致。

與前兩個階段相比，同維階段的虛擬世界有以下亮點：

- 圖形升級：從 2D 到 3D，更加擬真，更有沉浸感。
- 社交增強：可實時交流，社交更加方便。
- UGC：增加用戶創造數字內容的工具，使玩家成為真正的參與者，同時大大豐富了虛擬世界中的數字內容。
- 社區自治：不同信仰的用戶願意為了彼此相同的信仰為社區自發做出貢獻，逐漸形成自治組織。

元宇宙下的分佈式自治

在這個階段，一個大概的虛擬現實世界框架已經建好了。

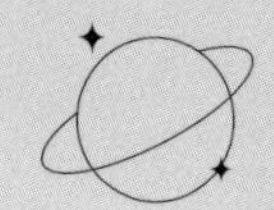

突破階段：虛擬經濟系統的出現

在虛擬世界中，玩家的精力和時間有限，資源也有稀缺性。玩家必須像在現實世界中一樣，在各種活動中需要做出取捨。不同人的需求是不一樣的，所以交易行為自然而然就誕生了。

而隨著交易的增多，就需要一個穩定的經濟系統來支撐。

21 世紀初期，遊戲《第二人生》上線，和 Active Worlds 一樣，它同樣允許用戶在虛擬世界中創建一些物品和建築，但與之不同的是，這些被創建出來的虛擬物品是可以用來交易的。

在《第二人生》的虛擬世界中，它改變了之前那些簡單的交易行為，出現了一種虛擬貨幣"林登幣"(Linden Dollar)，使用這種虛擬貨幣，可以對虛擬世界中的虛擬物品進行買賣，不僅如此，林登幣還可以兌換成美元，用戶可以使用真實世界的信用卡在兩種貨幣之間進行轉換。

林登幣的出現，或者說《第二人生》裏這一虛擬經濟系統的出現，讓玩家不僅可以在遊戲內遊玩，還可以在虛擬世界中通過活動來獲得真實世界的收益。正是因為有這一經濟系統的激勵機制存在，UGC 得到了前所未有的發展，每個人都有更大的動力去創造內容。

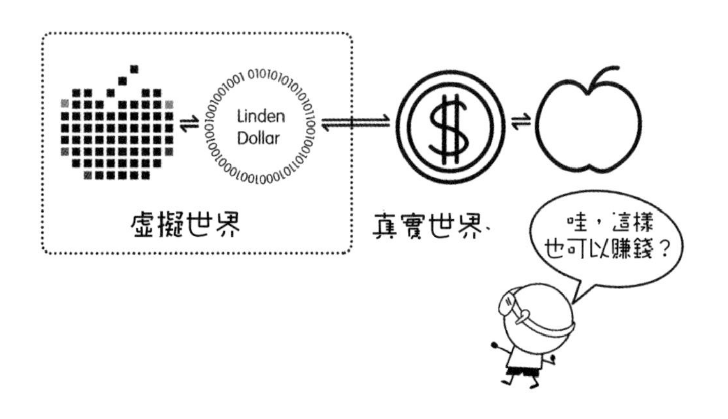

2004 年，一位用戶在《第二人生》中創造了一款虛擬遊戲中的虛擬遊戲，讓其他玩家能夠在自己遊戲中的家中運行該遊戲。通過售賣這款虛擬世界中的虛擬遊戲的副本，他獲得了 4000 美元的現實收益，後來更是授出版權，得到了五位數的現實收益。

虛擬經濟系統的出現，讓虛擬世界慢慢跳脫出遊戲範圍，並通過強大的 UGC 激勵，開始擴大虛擬世界的內容儲量，朝著與現實世界融合的方向前進。

在這一階段，除了虛擬經濟系統的出現外，圖形升級方面也有了進一步的發展。

與《第二人生》同期誕生的另一個虛擬世界是 Blue Mars，它使用當時最先進的 Cry Engine 2 遊戲引擎，將更高質量的圖像融入虛擬世界，它還包含了動作捕捉動畫及 3D 內容編輯等，也可以在第三方的 3D 圖像編譯器上創建數字內容。

在這一階段，虛擬世界突破了原有的遊戲桎梏，越來越朝著商業化方向前進，並且在自己的內部世界中創建了虛擬貨幣，這套能夠與現實世界法定貨幣進行兑換的經濟模式逐漸構成一個龐大的經濟系統。玩家可以在虛擬世界中創建和消耗內容，通過該虛擬經濟系統獲得收益，從而促進 UGC 的發展。因為圖形技術升級，虛擬世界的真實感和沉浸感也變得更加強烈。

在這一階段，虛擬世界的發展已經開始脱離“遊戲”範疇，就像《第二人生》一樣，不再把自己定義為遊戲，而是創造一個新的世界。正如林登實驗室所説，他們的目標不是簡單地製造一款遊戲，而是要創造一個像斯蒂芬森在小説《雪崩》中描述的元宇宙一樣的世界。

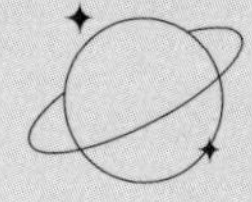

破立階段：去中心化思想的出現

破立階段主要與去中心化的思想有關，它是最接近元宇宙的一個階段，同樣也是離我們最近的一個階段。

這一階段始於 2007 年，特點是對虛擬世界進行去中心化處理。

Solipsis 便是一個很好的例子。

Solipsis 是一個能夠供多人共享虛擬世界的免費和開源的系統，它的核心目標是創建一個儘可能不受私人利益影響的虛擬世界。它是一個點對點系統，是一個節點網絡，與傳統的服務器模式有本質區別。

除了 Solipsis 外，還有其他類似的開源項目，如 Open Cobalt、Open Wonderland 等。

如果虛擬世界能夠實現真正的去中心化，便意味著這個虛擬世界是所有人共有的。所有人不僅僅是這個虛擬世界的參與者，更是創造者，這個虛擬世界中的每個人都會更加自由，這和區塊鏈的思想是一致的，而區塊鏈也正好被視為目前元宇宙的“補天石”。

在傳統的虛擬世界中，即便玩家能夠沉浸在虛擬世界中進行內容創造，並能夠從虛擬世界裏獲得收益，但因為缺少去中心化思想，虛擬世界依舊無法和真正的元宇宙扯上關係。兩者就像隔著一道天塹，永遠無法連通。

實際上，去中心化思想是元宇宙的靈魂。沒有這個靈魂，虛擬世界永遠是漂浮不定的海市蜃樓。

無論虛擬世界的設定多麼龐大豐富，無論玩家的內容創造如何推動世界發展，無論虛擬世界如何迫近現實世界，只要缺少去中心化思想，它都無法被稱為真正意義上的元宇宙。

不過，這一階段的需求，並非從虛擬世界直接跨向元宇宙，它只是一種可能性的探討，一種對元宇宙實現的嘗試。

從這一階段開始，人們漸漸認識到虛擬世界和元宇宙的相似性，也開始對元宇宙的實現路徑進行思考。

元宇宙≠虛擬世界，但我們可以認為，元宇宙起源於虛擬世界。

在“創世紀”的前傳中，我們回看了整個虛擬世界的發展史。

從基於計算機文本交互的虛擬世界，到具有圖像交互界面及社交元素的世界，到 3D 圖像及內容創造的世界，到具有虛擬經濟系統的世界，再到具有“去中心化思想”的虛擬世界。

虛擬世界的演變，是從最簡單的遊戲場景逐漸演化到更龐大的世界。它從一開始的“遊戲”，慢慢變成了一個真正的世界。

“創世紀”不是突然出現的，它需要一步步沉澱，需要完成許多前期準備。

可以確定的是，從虛擬世界到元宇宙，一定需要更多人參與，需要更大的網絡連接，需要更標準的統一協議，需要更去中心化的治理方式，需要更完善的經濟系統來共同完成。

在虛擬世界的基礎上，繼續向外、向上延伸，最終會成為我們所暢想的元宇宙。

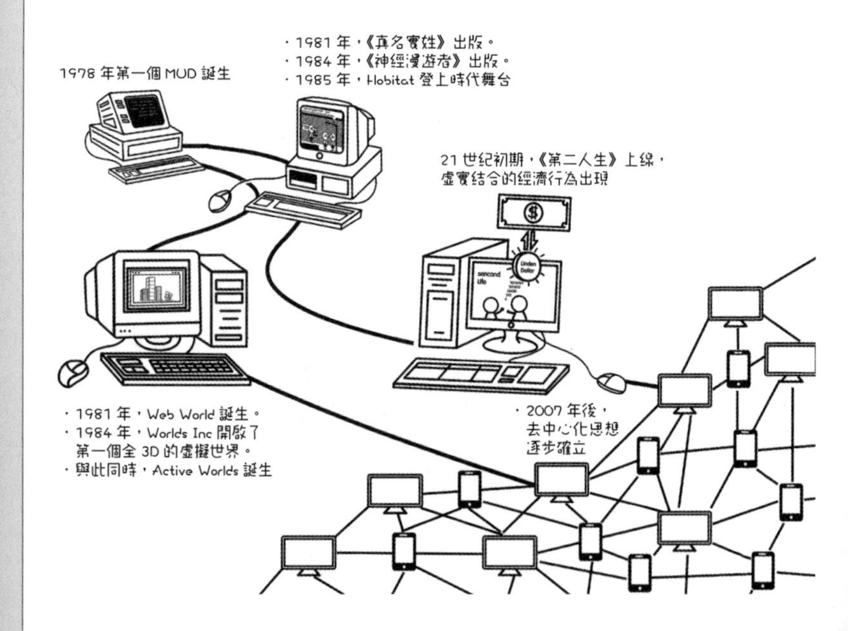

× − +

那些夢中的“綠洲”

METAVERSE

“創世紀”的前傳中誕生了很多元宇宙模型，它們有的是極具想象力的影視作品，有的則是依靠互聯網技術構建的優秀遊戲，有的是通過硬件平台創造的開源世界，還有一些是通過區塊鏈技術打造的新世界。很多產品都能夠看到元宇宙的影子。

元宇宙中的音樂

元宇宙中的遊戲

元宇宙中的醫療

元宇宙中的聊天社交

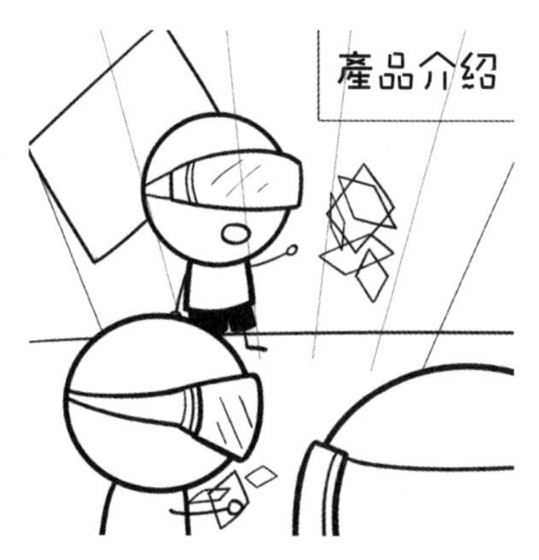

元宇宙中的產品發佈會

元宇宙中為自己設計虛擬形象

元宇宙中設計場景

元宇宙 —— 家

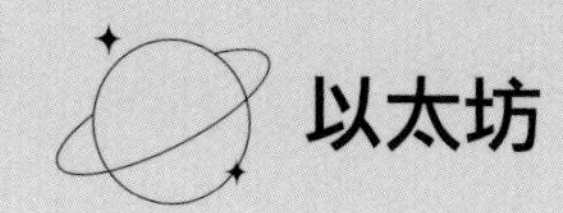

以太坊

以太坊（Ethereum）是一個開源的有智能合約功能的公共區塊鏈平台，通過其專用加密貨幣以太幣（ETH），提供去中心化的以太虛擬機來處理點對點合約。

與傳統的互聯網產品不同，以太坊表面上看起來與元宇宙沒有關係，實質上卻擁有元宇宙最重要的特點，它的去中心化體系是元宇宙設計最核心的內容。

元宇宙的最終建立需要一條超級公鏈，這正是以太坊在做的事情。超級公鏈作為元宇宙的主鏈，用以記錄信息，所有人都可以在鏈上讀取、發送交易，且交易能獲得有效確認。通過這條超級公鏈，可以延伸出無數條代表教育、生活、醫療、遊戲、慈善、職業等的支鏈。

與比特幣最大的不同在於，以太坊是具有圖靈完備性的，它可以用區塊鏈的方式連接全球所有的機器，組成一個強大的硬件基礎。在以太坊系統中，設置了虛擬計算程序。以太坊制定了一個內置的多種編程語言的區塊鏈協議，這些編程語言都是具有圖靈完備性的，支持條件分支、循環、跳轉、函數調用等複雜的邏輯運算，理論上可以在以太坊區塊鏈上運行任意應用。

正因如此，無數的生態在以太坊這個“元宇宙”中野蠻生長。

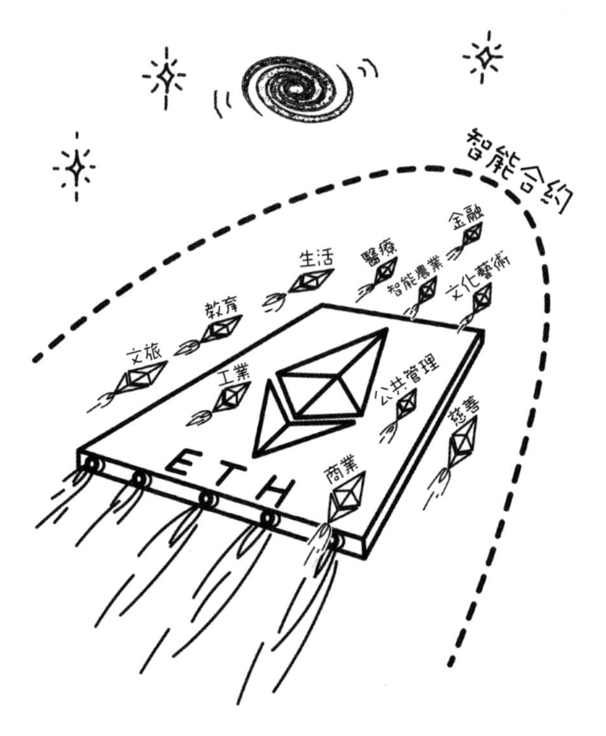

以太坊公鏈站在金字塔尖，各類協議如 ERC-20（同質化通證）、ERC-721（非同質化通證）、ERC-1155（非同質化通證進化版）、EIP-1559（燃燒協議）、Polygon 站在第二梯隊，各種應用在這些協議或者智能合約上開始創造自己的“小宇宙”。

現在以太坊上的合約已經包羅萬象，主要包括 ERC 標準、DeFi、NFT、DEX、錢包、遊戲、域名、供應鏈、投票、開發工具、數字 ID、DAO 治理、預言機等。

除了底層協議和經濟體系外，以太坊的治理方式也十分貼合元宇宙的理念。

元宇宙的治理方式是去中心化的、自下而上的民主決策。

以太坊出現後，去中心化自治組織 DAO（Data Access Object，數據訪問對象）也被提出。利用 DAO，人們可以在無須依賴信任或者第三方的情況下，在全球範圍內彼此協調，實現共同目標。

這種模式下，不僅僅核心開發者能夠參與項目的提案、投票、決策，其利益相關者也都可以參與其中，同時在治理中形成經濟體。在以太坊中，每一個資產持有者、利益相關者，能可以參與自治。

儘管以太坊沒有像 Meta（Facebook 更名後的公司）一樣直接把“元宇宙”貼在臉上，但以太坊所做的事情，卻實實在在無限接近元宇宙。

我的世界

很多人對《我的世界》這款遊戲存在誤解，認為它是一款像素風的兒童遊戲。從畫面上看，《我的世界》是偏向低齡化的，但實際上它包含許多接近元宇宙的理念。

《我的世界》是一款開放式沙盒遊戲，極高的創作自由度為遊戲帶來了長久的活力。遊戲注重讓玩家去探索、交互，改變一個由多塊像素組成的方塊動態生成的地圖。除了方塊以外，環境單體還包括植物、生物與物品。遊戲裏的活動包括採集礦石、與敵對生物戰鬥、合成新的方塊與收集各種資源。

《我的世界》中的功能多到令人難以置信，每天都有數百萬人沉浸其中。在《我的世界》中，人們建立了無數個自定義世界，創造了無數種模式，共同搭建一個龐大的虛擬世界。

《我的世界》雖然是一款遊戲，但也具有一些元宇宙特徵。

首先，在《我的世界》中，任何人都可以創建自己的世界。當你創建了一個世界後，便可以邀請你本地 Wi-Fi 上的任何人加入。《我的世界》的開發者沒有創造一個封閉社區，而是允許所有人根據自己的想法去創造自己想要的世界，每個人的世界都是獨一無二的。

《我的世界》還有豐富的 UGC 生態，玩家可以在一個隨機程序生成的 3D 世界內，以帶材質貼圖的立方體為基礎按照自己的意願，對遊戲世界進行改造。目前《我的世界》已有超過 4 億的註冊用戶、1.2 萬個開發團隊和超過 5.5 萬份的優質內容。

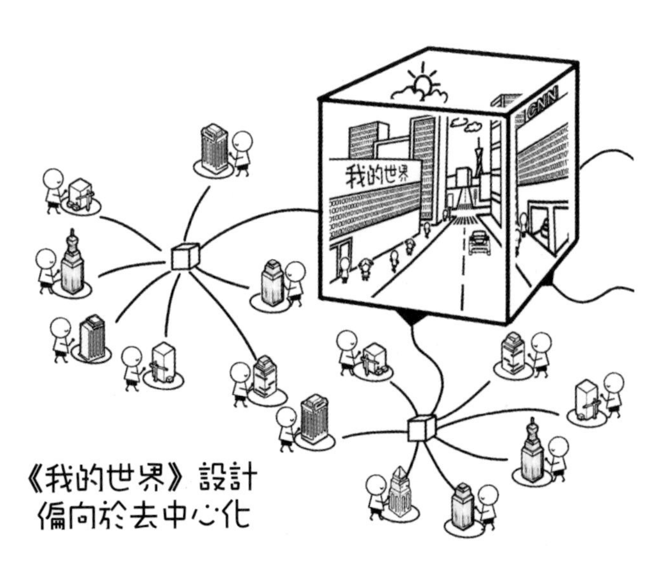

《我的世界》還有一個 logic-wiring 系統，通過這個系統，玩家可以創造各種各樣的東西，如果你擅長平面設計，你就可以給你的角色製作皮膚；如果你懂編程，你就可以在遊戲裏創建全新的對象，從而改變遊戲玩法；你甚至可以開發皮膚編輯器等工具，來降低其他玩家創造內容的門檻。

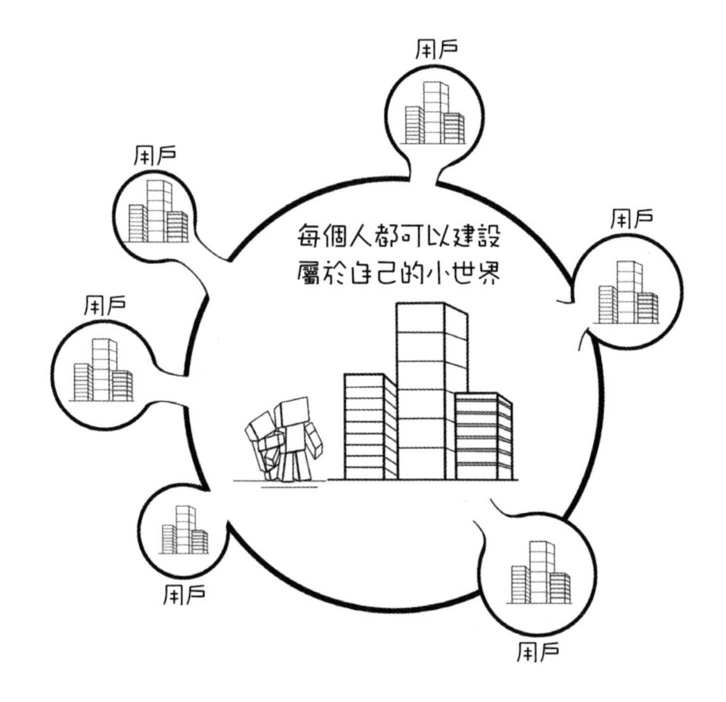

正是因為有極高的創作自由度和友好的內容創造環境，借由一個良好的 UGC 生態，《我的世界》才有如此強大且持久的生命力。元宇宙同《我的世界》一樣，都是開放式的、去中心化的，用戶在元宇宙中可以任意創建自己擅長的東西，從而創建出自己的“小宇宙”。

Roblox

Roblox 是多人在線的遊戲創作平台，玩家在創作遊戲時具備極高的自由度，平台具備全面且與現實經濟互通的經濟系統。玩家可以在遊戲中互通虛擬資產與虛擬身份，創作者可以在自己的遊戲中設計商業模式。

Roblox 的經濟系統、身份系統、社交網絡、內容創造等各個方面在一定程度上都具有元宇宙的特點。

Roblox 擁有一個建立在一種名為“Robux”的貨幣基礎上的充滿活力的經濟系統。用戶可以用該貨幣為自己的角色購買道具，同時 Roblox 也允許開發者和創造者將 Robux 轉換為現實世界的貨幣。

同時，Roblox 所有的用戶都有自己獨特的身份，每個人都可以化身為自己想要成為的人，這個虛擬身份在 Roblox 中是互通的，個人所擁有的虛擬資產和網絡好友關係，在 Roblox 的各個遊戲中都可以延續。

在內容創造方面，Roblox 是一個由開發者和創造者共同創造的、巨大的且不斷擴展的宇宙。Roblox 向創作者提供了 Roblox Studio 工具集，創作者可以通過工具集高度定制化打造遊戲宇宙，不僅可以設計地圖、劇情，還可以在玩法、消費模式上進行深度設計。這也使 Roblox 有數以百萬計由創作者創造的虛擬物品。

Roblox 是目前被視為最接近元宇宙的項目，它的模式已經具有元宇宙的雛形。

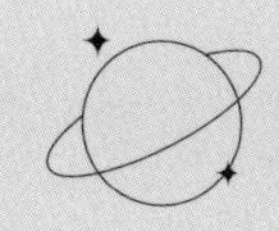

頭號玩家

如果問到人們眼中未來的虛擬世界是什麼樣子的，大概 90% 的人會回答是《頭號玩家》裏的“綠洲”。

《頭號玩家》中的“綠洲”，是遊戲公司利用虛擬現實技術與網絡遊戲的完美結合，為人類提供的避世的心靈港灣。它與我們所說的“元宇宙”的定義有些不同，但在表現內核上有極高的相似度。

在“綠洲”中，每個人都有自己獨特的虛擬身份，這個虛擬身份與現實世界全然不同。《頭號玩家》裏的男主角韋德，在現實中是一個生活在貧民區的普通少年，但在“綠洲”裏他化身為帕西法爾(Parzival 神話中的英雄少年)，成為萬眾矚目的超級英雄。

其他人也有各自的虛擬身份，如阿爾忒密斯（Artemis)、艾奇（Aech)、阿諾克（Anorak)、修 Shoto、索倫托（Nolan Sorrento)……每個人都在“綠洲”中開啟了自己的第二人生。

同時，“綠洲”還帶來一種高度的沉浸式體驗。只要頭戴 VR 眼鏡，手戴動作捕捉手套，就能進入一個虛擬世界，並體會與現實世界無異的高度沉浸感。這是我們對未來 VR 等技術的憧憬，進入“綠洲”就像進入另一個真實空間，現實世界和虛擬世界幾乎沒有差別。

“綠洲”還擁有無數個世界，極具神秘感和未來感，它既可以是現實世界的鏡像複刻，也可以是能與巫師戰鬥的神話世界，甚至可以擁有與現實世界完全不同的物理定律。

在某種程度上，我們可以說“綠洲”便是未來元宇宙的雛形。

指環王

20 世紀 30 年代，一個普通的大學教授正在批改考卷。突然興之所至，在試卷空白處寫下一句“在一個地下的洞府裏，住著一個霍比特人……”，這個人是托爾金（Tolkien），小説《魔戒》的作者，其作品被改編成影片《指環王》。

也許托爾金自己也沒有想到，這麼一個簡單的靈感，竟開啟了一個奇幻時代。

元宇宙這一概念源於斯蒂芬森的科幻小説《雪崩》。但如果從“創造世界”這一層面來看，元宇宙的起源應該是托爾金。

托爾金在《指環王》中構建了一個中土世界，這是一個與現實世界完全不同的“第二世界”。《指環王》擁有詳細的世界設定、豐富的故事背景，它有屬於自己的價值觀和世界觀，有諸多種族、遼闊地域和完整的世界法則，甚至托爾金還創造了屬於《指環王》的語言，來讓這個世界變得更加真實。

元宇宙是未來的幻想世界，而《指環王》是過去的幻想世界。

托爾金在解釋自己的創作思想時，引入了“神話創造”這個詞，並稱自己是“愛神話者”。他認為人是次創造者，可以創造物理規則和生命規則與現實完全不同的“第二世界”。

精靈語

創造具有完整且自洽的幻想世界是元宇宙的內在要求。創造這樣的幻想世界需要包含歷史、地理、生態等各方面內容，要創建地圖、背景故事、動植物種類，甚至可能會涉及不同的種族、不同的社會習俗，甚至要發明特殊的語言。

從某種意義上講，《指環王》是文化層面上的元宇宙。它開啟了一個全新的時代，並留下了無數的想象空間，托爾金的中土世界奠定了龐大的西方幻想體系的基礎，它創建了一個開放的、可設定的世界，並一直影響著後來者。無論是《哈利・波特》還是《權力遊戲》(*Game of Thrones*)，都可以看到《指環王》的影子。

就像元宇宙一樣，《指環王》創建了一個大世界，最終會有無數的其他世界融入這個大世界中。

另外還有一點值得注意，在元宇宙形成的過程中，內容是至關重要的，而其中有一類內容最有可能實現，即有宏大敘事場景和宇宙觀、眾多人物和相對明確的人物關係、層層遞進的故事邏輯、濃郁的遊戲色彩和天然沉浸感的內容。

《指環王》就擁有這樣的內容，它很容易就能形成強粉絲效應，在核心受眾中具有巨大的感召力和影響力，可以讓大家一起去推動其發展。

實際上，像《三體》、《沙丘》（*Dune*，港譯作《沙丘瀚戰》）、《基地》這樣擁有龐大世界觀和豐富背景的故事，都是一種特殊形式的元宇宙。

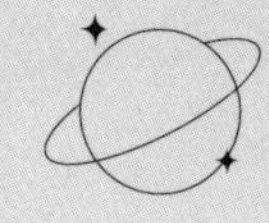

Decentraland

Decentraland 是基於以太坊區塊鏈建立的一個虛擬平台，為用戶構建了一個居於鏈上的虛擬世界。在 Decentraland 的主體世界裏可以參觀其他玩家擁有的建築，可以參與位於各建築內的活動與遊戲，也可觸發一些特殊劇情（撿到收藏品等），或者和其他玩家通過語音或文字對話，操縱自己的“化身”在這個虛擬世界裏盡情暢遊。

同樣，在 Decentraland 中，每個人都可以通過其提供的製作器 Builder 創建屬於自己的建築，可以把建築放置在自己的世界裏，也可以用於交易。

Decentraland 擁有幾乎全部虛擬世界類應用的特徵，但與普通的互聯網虛擬世界不同的是，它將這一切搬上了區塊鏈。

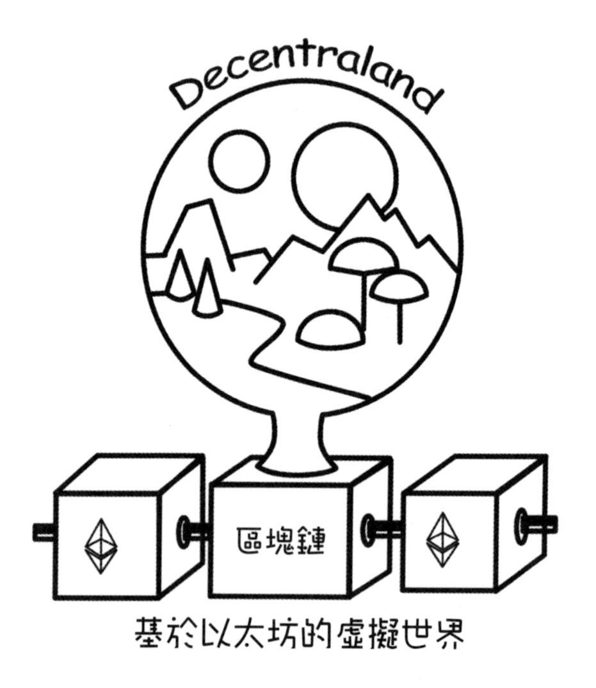

區塊鏈的應用不僅使 Decentraland 中的一切產權和交易行為都有跡可循，也使用戶能夠通過集體投票成為其真正的主人和治理者。

事實上，Decentraland 也確實成了 DeFi（Decentralized Finance，去中心化金融）世界裏第一批採用 DAO 社區治理模式的項目。

Decentraland 內的地塊由不可替代的 NFT 代幣 LAND 表

示，這些代幣跟蹤以太坊區塊鏈上的所有權。LAND 建立在以太坊的 ERC-721 協議標準之上，使其成為可以與其他用戶進行交易的數字資產。

另外，Decentraland 中的遊戲資產和地塊，不僅可以在項目內部平台進行交易，也可以在其他平台交易，如 OpenSea。

儘管 Decentraland 的畫風和遊戲體驗遠不及傳統的沙盒遊戲，但因為對虛擬資產的權益的保障，仍然有很多人參與建設。

Decentraland 作為一個區塊鏈遊戲，它的經濟系統非常接近元宇宙。它是一個由區塊鏈驅動的虛擬現實平台，也是第一個完全去中心化、為用戶所擁有的虛擬世界。

Decentraland 作為以太坊上最先發展起來的元宇宙類遊戲之一，“宏大”是它的優點所在，Decentraland 可以為各類用戶提供在這個世界中的各種體驗，它為我們勾勒出了鏈上元宇宙的美好版圖 —— 用戶治理、無限拓展。

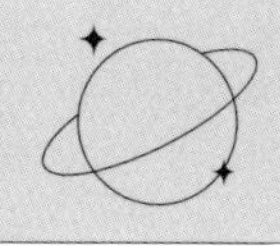

第二人生

《第二人生》和傳統的遊戲不同，它不是一般意義上的遊戲，人們可以在其中社交、購物、建造、經商。玩家可以創造房屋、汽車、衣服等，玩家可以隨時將自己創造的物品出售、轉讓或者租賃出去賺取林登幣。林登幣和美元之間可以方便地進行雙向兌換。

這個遊戲中也誕生了現實中的種種行業，如購物商城、廣告商、地產商，甚至是銀行。

在《第二人生》的巔峰時期，豐田、通用、阿迪達斯、聯合利華等知名企業都在遊戲中拓展商業領土，遊戲的總產值更是超過了很多第三世界國家擁有的財富，它甚至造就了真實世界的百萬富翁。

在 Twitter 誕生前，BBC、路透社、CNN 等報社將《第二人生》作為發佈平台；IBM 曾在遊戲中購買過地產，建立自己的銷售中心；瑞典等國家在其中建立了自己的大使館；西班牙的政黨在遊戲中進行辯論；喜達屋酒店在這裏設計了新的雅樂軒系列；歌手蘇珊・薇格（Suzanne Vega）在廣播節目中進行了虛

擬世界的現場音樂會；虛擬時裝設計師全職生活在《第二人生》中；豐田在這裏發佈了其 Scion xB 的虛擬版本；全球音樂電視台 MTV 開設了一個虛擬的拉古納海灘，以配合同名熱門電視節目宣傳；美國職業棒球大聯盟在《第二人生》中對本壘打德比（Home Run Derby）進行了虛擬重建……

這樣的例子不勝枚舉。開發團隊稱《第二人生》不是一個遊戲，因為這個世界沒有可以製造的衝突，也沒有人為設定的目標，但它擁有更強的世界編輯功能與發達的虛擬經濟系統。

不過，《第二人生》的衰亡也十分迅速，2007 年林登實驗室宣佈封殺網絡賭博，引發了大量賭客到虛擬銀行排隊取現，這一擠兑風潮，再加上極高的利率，直接衝垮了脆弱的虛擬經濟。

曾經虛擬街道上人頭攢動的《第二人生》，如今早已無人問津，但它留下了對虛擬社會中道德邊界、政策規則、經濟體系等問題的討論，也展示了構建虛擬社會會有超高難度。

《第二人生》帶來的另一層意義在於，在 21 世紀初期，它便已經為我們提供了構建元宇宙的一個基礎設想，它在元宇宙概念還沒有爆火時便已經有了元宇宙的大致模樣。

Omniverse

在 2021 年的 GTC（Global Trade Center，全球商品交易中心）的線上峰會上，英偉達（Nvidia）CEO 黃仁勳進行了近一個半小時的演講。

就在人們以為這是一次正常的演講彙報時，幾個月後在計算機圖形學頂級年度會議 SIGGRAPH 2021 上，英偉達卻通過一則紀錄片揭秘：之前在 GTC 線上演講的黃仁勳是“假”的。

視頻中的“黃仁勳”，是英偉達利用 Omniverse 製作出來的“數字替身”。

無論是“黃仁勳本人”，還是廚房、標誌性皮衣，甚至是他的表情、動作、頭髮全都是合成的，而製造出這樣一個能夠媲美真實黃仁勳的“數字替身”的便是英偉達旗下的平台 Omniverse。

Omniverse 是英偉達推出的一個仿真模擬和虛擬合作的平台，它支持多人在平台中共創內容，使大家能夠創建符合物理定律的共享虛擬 3D 世界，與現實世界高度貼合，是用現實數據 1：1 創造的一個虛擬世界。

Omniverse 基於 USD（通用場景描述），專注於實時仿真、數字協作的雲平台，擁有高度逼真的物理模擬引擎及高性能渲染能力。Omniverse 的本質是一個數字蟲洞，未來任何計算機都可以連接到 Omniverse，並將一個 Omniverse 世界連接到另一個世界，USD 之於 Omniverse 就像 HTML（一種標記語言，可以將網絡上的文檔格式統一）之於網站。

只要接入這個平台，圖像技術開發者就能夠實時模擬出細節逼真的現實世界。通過這個平台，負責 3D 建築設計的建築師、修改 3D 場景的動畫師及協作開發自動駕駛汽車的工程師等不同行業的設計者們，可以像線上共同編輯文檔一樣輕鬆設計 3D 虛擬場景，可以理解為這是一套 3D 的"Google Docs（在線辦公軟件）"協作環境。

利用 Omniverse，可以模擬廠房和工廠、物理和生物系統、機器人、自動駕駛汽車，等等。換句話説，通過 Omniverse，你可以製造一個與現實世界幾乎一模一樣的虛擬世界，就像 GTC 大會上的"黃仁勳"一樣。

更重要的一點是，Omniverse 是開源兼容的，在這一平台上，人們既可以進行 3D 建模、遊戲場景開發，也可以進行產品設計、科學研究、機器人測試和自動駕駛測試等工作。

元宇宙與 Omniverse 一樣，本質上都是再造一個世界或者再造一個宇宙。創造一個新世界是元宇宙的目標導向，也是 Omniverse 的追求。

這些夢中的“綠洲”，儘管距離真正的元宇宙還有很長一段距離，但不可否認的是，它們的出現給了我們一種觸手可及的創世體驗，在某種程度上讓我們意識到，元宇宙或許就在我們眼前，它不是夢，而是正在發生的事實。

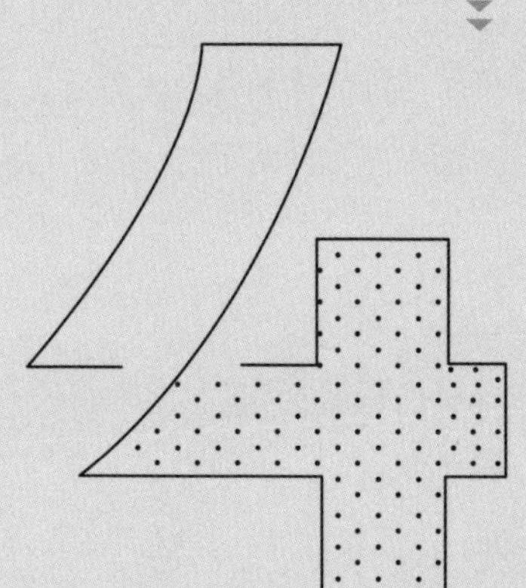

× − +

設計元宇宙

METAVERSE

元宇宙作為我們夢中的“綠洲”，充滿了神秘感，給我們帶來了無限憧憬和想象。但它又涉及很多底層技術，在構建和設計方面並不是一蹴而就的事。那麼，設計元宇宙需要考慮哪些方面呢？

要想搭建一個新的世界，需要有世界觀，當下一些影視作品在世界觀建設方面已經做得比較好。在討論如何確定元宇宙的設計要素之前，讓我們先展開想象，了解一下影視作品中所展現出來的奇幻世界是否會在我們設計的元宇宙中出現呢。

《指環王》無疑是現代創世題材的佼佼者，它將一個恢弘的魔幻世界呈現在我們眼前。作者托爾金為了營造一個更真實的世界，甚至為小說中的族群發明了多達 15 種文字。

《指環王》指環上的文字是由古老的精靈文字書寫的咒語

除了《指環王》，科幻小説中也會出現成體系的文字設計。比如在《星際迷航》（*Star Trek*，港譯作《星空奇遇記》）系列中，有一個種族叫瓦肯人（Vulcan），他們理性，有著如精靈般的耳朵，最具有代表性的是他們的手勢。但是更加讓人驚歎的是作者為瓦肯族人創造的語言，美麗而神秘。

電影《阿凡達》不僅僅搭建了一個擁有艾米族語言的世界，而且開始討論平行世界、意識上傳、個體與整體。這一切不正是元宇宙要討論的事情嗎？再看看《阿凡達》中那個可以進行信息交互的辮子，這不就是腦機接口嗎？

《阿凡達》為我們打開了一扇能夠直觀體驗元宇宙的窗戶。

在現實世界，元宇宙已經近在咫尺，設計一個元宇宙需要的技術和知識包羅萬象，它一定比設計電影背景要複雜的多。

那我們就先透過表象看本質，從元宇宙的“路線之爭”談起。當下，元宇宙發展方向分化成兩條完全不同的道路。從這兩條路徑出發，也許我們能找到設計元宇宙的真正密碼。

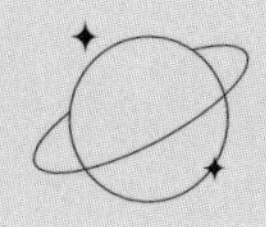

元宇宙的路線之爭

元宇宙的概念一直模糊不清，核心問題在於它存在以下兩條實現路線之爭。

一條路線是以互聯網派為主導，以互聯網巨頭為代表，他們希望在已有的產品上實現從互聯網到元宇宙的過渡，如果能將現有產品和用戶直接轉化為元宇宙用戶，那麼這些互聯網企業將在未來三十年內再次立於不敗之地。例如，騰訊希望用戶將《王者榮耀》視為元宇宙雛形，米哈遊希望用戶將《原神》視為元宇宙產品，而 Meta 則希望它的社交體系在接入 VR 設備後直接轉型為元宇宙世界。現在大部分人被這一派的觀念所影響，在很多人眼中，元宇宙就是一個接入了 AR/VR 的沉浸式遊戲。

另一條路線是以區塊鏈派為主導，以太坊公鏈是這一派的代表，它們以“加密經濟”、“數字身份”、“稀缺比特”、“跨鏈傳輸”這四點作為元宇宙內核來設計產品，最核心的要點就是“去中心化”，這與互聯網現在已經形成的“中心壟斷”正好相反。這些區塊鏈設計的“元宇宙”產品完全不考慮 AR/VR/XR 的接入，也不在意沉浸式體驗，它在創世之初更關注的是經濟基礎。

區塊鏈派堅信經濟基礎是關鍵，只要財富分配體系足夠吸引人，那麼基於趨利性，元宇宙自然就會建立起來。這個群體屬於少數，他們是科技金融圈的代表，在這些人眼中，元宇宙本質應該是一個“去中心化”的財富分配金字塔。

除此之外，還有一些派別希望以硬件或者遊戲引擎作為“元宇宙”的創世“奇點”，如 Omniverse 和 Unity，但它們的實現路徑仍然屬於互聯網派。

無論是互聯網還是區塊鏈，最初都存在原教旨主義理想，但由於追逐的利益不同，早已形成壟斷的互聯網巨頭（包括軟件和硬件）希望從產品體驗、硬件接入、世界設定等方面來定義元宇宙，而區塊鏈派則希望從價值觀、經濟學原理、數學信任度層面來定義元宇宙。

互聯網派的煩惱

人們把元宇宙視為互聯網的下一站，很多互聯網企業也把元宇宙當成時代的夢想。

互聯網失去想象力了嗎？這是近年來行業內問得最多的問題之一，發展瓶頸讓互聯網企業不得不努力追尋新的可能。

從理論上來講，互聯網巨頭進軍“元宇宙”有著天然優勢，它們對區塊鏈也並不陌生，因為區塊鏈本就帶著互聯網基因，例如，互聯網企業一開始對於 Token 的理解，就在很多區塊鏈企業之上。Token 作為區塊鏈技術中不可或缺的一部分，是發行激勵的一種必然機制，是共識達成的數字權益證明，它源於網絡通信，屬於計算機術語，原意為“令牌、信令”。歷史上有個局域網協議，叫作 Token Ring Network（令牌環網），此網絡中的每一個節點輪流傳遞一個令牌，只有獲得令牌的節點才能通信。

互聯網企業正值壯年，既有強大的市場戰鬥能力，又有年富力強的領導者，還有熟知代碼的技術團隊，有體系完善的社群基礎，有信息龐大的數據積累，更有對區塊鏈的深入理解……按照邏輯來講，它本不會給新生的區塊鏈派留下任何機會，互聯網派應該天然是元宇宙最好的建設者和領頭羊。不過，就態勢而言，互聯網派並沒有牢牢把控設計元宇宙的先天優勢，反倒使區塊鏈派欣欣向榮。

其實，這不能怪互聯網派不努力，因為互聯網巨頭在設計元宇宙時，有著一系列暫時無法解決的煩惱。

- 互聯網巨頭已經形成的壟斷中心化優勢，正好是區塊鏈原住民最反對的價值觀。
- 成熟的產品很難直接接入區塊鏈技術，因為這是兩個不同體系。
- 互聯網巨頭企業直面公權力監督，擔心存在法律風險。
- 互聯網巨頭之間互不買賬，沒有辦法達成共識公鏈或者跨鏈的協議。

正是以上原因，使得互聯網巨頭在進軍元宇宙時束手束腳，沒有辦法完全將區塊鏈技術整合進來，同時還要維護原來的產品，於是，這就給區塊鏈企業留下了進軍元宇宙的機會。

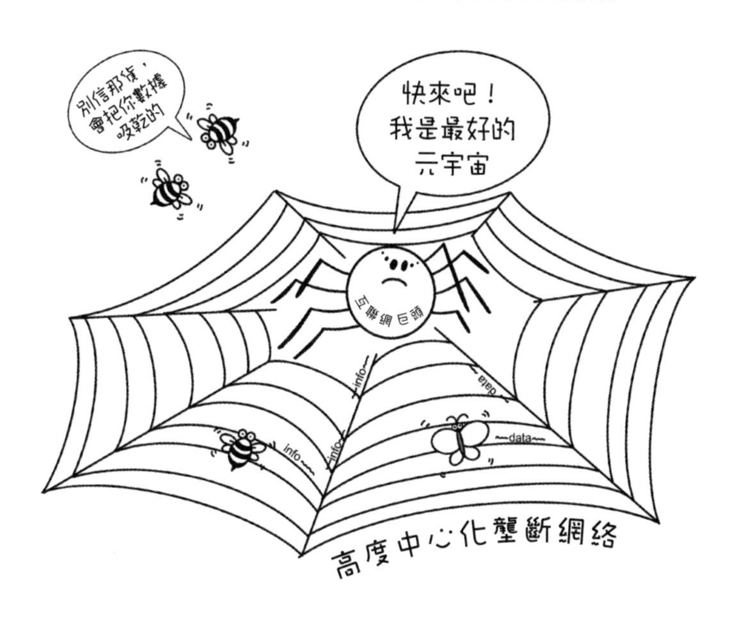

區塊鏈派的擔憂

互聯網派沒能在設計元宇宙中力拔頭籌，區塊鏈派自然有野蠻生長的機會。但欣欣向榮不代表一帆風順，互聯網派有互聯網派的煩惱，區塊鏈派也有區塊鏈派的擔憂。

區塊鏈派一開始並沒有意識到自己在設計元宇宙，他們只是想在互聯網之外找到一條發展之路，用區塊鏈技術重新設計人類社會的金融體系，即使有些團隊在設計區塊鏈遊戲，也只是利用人對財富的渴望來打造一個金錢遊戲，並沒有創造世界的野心；直到傳統世界將區塊鏈技術視為元宇宙不可或缺的經濟支柱時，區塊鏈派迅速醒悟 —— 既然我們已經理解了元宇宙最核心的內容，為什麼不能利用區塊鏈技術再造一個世界、再造一個宇宙呢？

作為這個時代對新技術、新金融最敏感的一群人，他們不僅有著極其強烈的商業野心，同時執行力也非常強大，這是區塊鏈派能夠迅速崛起的原因，但區塊鏈派在設計自己的元宇宙時，同樣面臨很大困境。

- 普通用戶對區塊鏈並不信任。
- 大眾用戶對“中心化”有依賴，對“去中心化”價值觀並不理解。
- 區塊鏈元宇宙的接入門檻非常高，很多用戶連加密錢包都沒有。
- 資本和技術相對薄弱，沒有辦法長期堅持下去。
- 傳統權力體系的資本體系對區塊鏈產品有對抗心態。

- 區塊鏈圈本身魚龍混雜，這個行業很容易讓真正做事的人失去信心。
- 缺乏專業人士的幫助，存在法律風險。
- 行業當前還處於遵守叢林法則的蠻荒期，競爭激烈。

所以，當區塊鏈派在進軍元宇宙時，也總是磕磕絆絆，看似繁榮發展，實則暗流湧動，因為這些問題的存在，區塊鏈派並沒能因此拉開和互聯網派的差距。

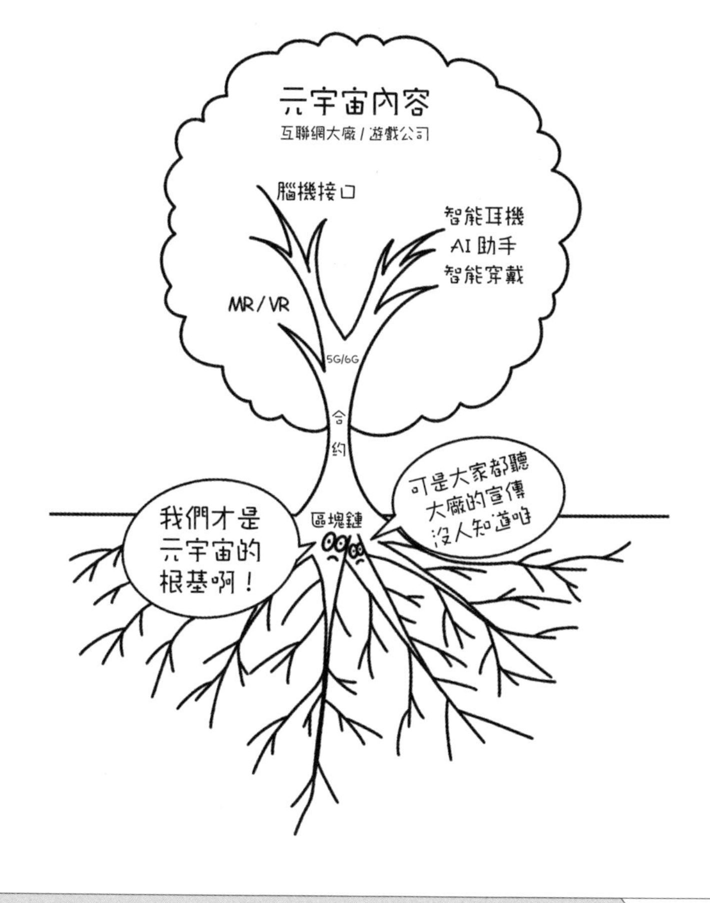

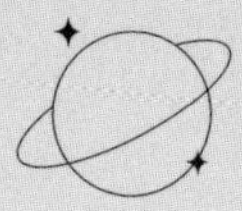

Meta 的發展問題

關於互聯網派的煩惱，我們可以以 Meta（原為 Facebook）作為標準案例，來分析互聯網企業在設計元宇宙時的矛盾之處。

無論是互聯網技術，還是區塊鏈技術，Meta 都非常了解。在互聯網方面它是社交巨頭，擁有近 30 億的用戶；在區塊鏈層面，它在 2019 年就發佈了 Libra 白皮書，傳達出對區塊鏈技術深刻而清晰的認知。

這樣一個互聯網企業，在設計元宇宙時，本應該有天然的優勢，然而當扎克伯格在 2021 年 10 月 28 日將 Facebook 更名為 Meta 時，聲稱要集全公司之力進軍元宇宙時，區塊鏈世界的中堅力量不但沒有表示歡欣鼓舞，總體的反饋甚至可以歸結為一句話：Facebook 建造的是數字版本的地獄。在加密先行者看來，Meta 鼓吹的 VR/AR 只是元宇宙的皮相，而非元宇宙本質。無論有多少先進技術的硬件接入，也只是互聯網披上的一層虛幻外衣，根本就不是真正意義上的"元宇宙"。

傳統的互聯網網民也表示質疑，認為扎克伯格試圖進一步將自己束縛在他的社交囚籠裏，元宇宙只不過是打造一個升級版的"奶嘴"，讓所有人都離不開他所設計的世界。Meta 只是想藉助元宇宙的風頭升級自己的社交帝國，妄圖提前一步成為數字世界的霸主。

為什麼會有這麼多的反對聲音？因為 Meta 繼承了它在互聯網方面的優勢，同時也背負著傳統互聯網的缺陷，傳統互聯網對數據隱私多次侵犯，這種“中心化”的壟斷讓人早已失去對它的信任，用戶無法確定它升級到元宇宙後，“剝削”會不會變本加厲。

Meta 知道用戶會在這方面對它進行挑剔，但是它為什麼還會大張旗鼓選擇元宇宙之路呢？以下五點正是互聯網巨頭 Meta 的矛盾和痛苦之處，也為其他互聯網企業提供了借鑒和經驗。

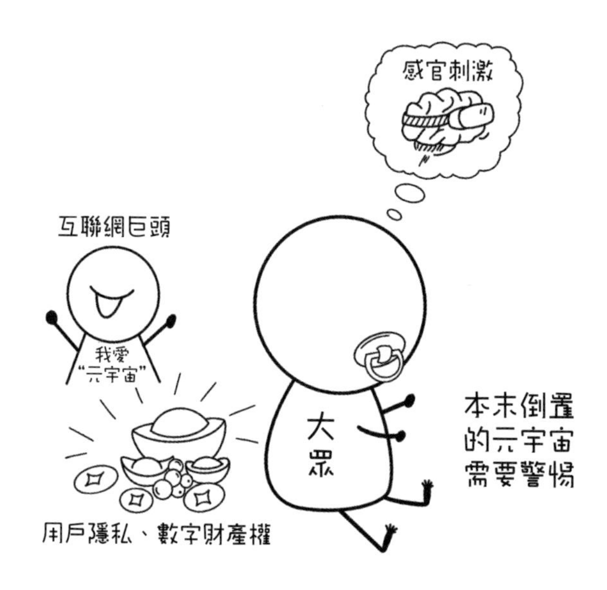

- Meta 更名前的回報已接近極限，必須尋找新的增長點，而元宇宙提供了新航向。
- Meta 現在的互聯網用戶接近 30 億，美國政府已經對它非常警惕，必然會對它進行圍剿，所以它需要尋找新出路，而元宇宙可以轉移焦點。
- Meta 的商業模式在於發掘用戶數據價值，雖然存在極大爭議，但它不可能輕易放棄。

- Meta 在硬件方面投入巨大，即使知道“去中心化”數字資產是元宇宙核心，也必須強化自己在硬件方面的優勢。
- 即使 Meta 已經佈局區塊鏈資產 Libra 或者其他“去中心化”的數字資產，但也不會輕易公佈自己在這方面的規劃，因為法定貨幣世界與虛擬貨幣有天然的對立性，一旦被發現可能會又一次被監管機構盯上。
- Meta 即便是在構建“去中心化”的社會組織體系，也不能輕易地將這些信息公佈出來。

Meta 要應對的事情並不僅僅只是思想上的革命和技術上的轉變，還有法律上的風險、政治上的審查，以及意識形態上的捕捉，這不僅僅是 Meta 一家公司的痛苦，也是其他互聯網公司的擔憂，有些公司已經在元宇宙上有了“去中心化”佈局，但又不能光明正大地向全社會展示出來。當代社會的生產關係和元宇宙的世界設計還有一定距離，這就是現在互聯網公司在設計元宇宙時遇到的最大障礙之一。

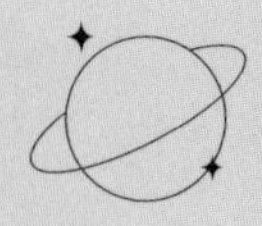

公鏈和跨鏈

互聯網派在設計元宇宙時總處於矛盾狀態，區塊鏈派在設計元宇宙時，也有自己需要面對的難題。

相較互聯網企業的謹慎，區塊鏈企業在設計元宇宙時最大的問題是缺乏一條大家都認可的公鏈。如果沒有一條公鏈，就沒有一個基本共識。如果一條公鏈垮掉，那它上面所有的項目就會被銷毀。如果一條公鏈被大部分人接受了，就像我們這個原子宇宙最基礎的數學原理和物理規律已經被設計好，創世的基本粒子已經被確定一樣，那麼這個宇宙就會開始它的進化。公鏈也是一樣，它是元宇宙向前進化的基石，有了確定的公鏈之後，元宇宙最初的探索者才可以在這條公鏈上開發星系、星球，早期的冒險者才可以在蠻荒星球上開闢自己的基地，早期的拓荒者才可以修建農場、狩獵場、遊戲公園等。

直到今天，區塊鏈世界的公鏈仍然競爭激烈，各有優劣，使得項目方很難確定自己應該在哪一條公鏈上建設自己的世界，這是現在區塊鏈元宇宙面對的第一難題。

既然有這樣的問題，那麼可不可以讓公鏈自由競爭，然後建立一個中間連接件？這就是"跨鏈"的概念。

什麼是跨鏈？每一個區塊鏈體系都是一個獨立的賬本，兩條不同的區塊鏈就是兩個毫無關聯的獨立賬本，我們一般將這樣的區塊鏈體系稱為公鏈，公鏈與公鏈是相對獨立的"平行世界"，但如果兩條公鏈存儲的數據都非常重要，必須將這兩個"賬本"整合在一起，那將這兩條公鏈整合在一起的操作就是"跨鏈"。

跨鏈可以實現不同鏈上的資產互通，甚至數據互通。"跨鏈"的最大難處不在於技術，而在於兩條公鏈要互相認可對方的價值，並最終開放公鏈權限。

跨鏈是不得已的選擇，充滿了不確定性。所以，區塊鏈方向的元宇宙設計現在基本上只能依靠一條公鏈，而現在任何一條公鏈都難以完全被所有人接受，這是目前區塊鏈元宇宙設計的難點所在。

總體來説，區塊鏈元宇宙要建立起來，起碼要經歷以下三個階段，每一個階段都有著難以跨越的鴻溝。

- 第一階段：解決公鏈選擇難題，才有可能形成真正意義上的元宇宙。
- 第二階段：解決公鏈選擇難題後還要解決一個“移民”問

題，現在互聯網世界的產品體驗已經做到極致，很難在產品體驗上吸引用戶“移民”到元宇宙。因此，如何解決區塊鏈世界安全大於效率的難題，是區塊鏈元宇宙要攻克的技術難題。

- 第三階段：當法律不再是障礙，互聯網巨頭開始全盤接受區塊鏈概念，和區塊鏈元宇宙展開正面競爭，區塊鏈元宇宙必須有足夠的力量與之對抗。

現在區塊鏈元宇宙還處於設計階段，但這三個階段的艱難之處已經顯現，要想完成元宇宙的設計，必須慎重考慮這些難題。

最佳路徑：互聯網＋區塊鏈

互聯網派有自己的煩惱，區塊鏈派有自己的擔憂，但與此同時它們也有獨屬於自己的設計元宇宙的優勢。那麼，如果要設計一個元宇宙，便需要“取長補短”，將互聯網技術和區塊鏈原理結合起來，這是設計元宇宙的最好路徑。

互聯網方向的元宇宙設計的最大問題在於它的“安全性”，也就是如何解決信任度的問題。傳統互聯網的底層 HTTP 協議是中心化的，無法解決元宇宙中用戶數字身份獨立自主的問題，在區塊鏈世界，擁有個人私鑰就擁有財富控制權，沒有人可以奪走你的財富；但在互聯網世界，你的數字資產存儲在大公司的數據庫裏，你自己並不能控制它。所以，互聯網方向的元宇宙，用戶的去中心化財富與中心化數據庫之間存在著不可調和的矛盾。

區塊鏈方向的元宇宙設計的最大問題是它的“效率性”問題，區塊鏈世界遲早會在市場的競爭中出現一條大家認可的公鏈，但就算有了這條公鏈，區塊鏈的效率也不一定能夠支撐起元宇宙的應用，因為區塊鏈的底層邏輯是進行分佈式計算，通過共識算法雖然保證了未來操作的一致性，但也犧牲了效率性能。我們理想中的元宇宙是“多 —— 分佈式”、“快 —— 性能”、“好 —— 一致性”並存的，但很顯然，目前基於區塊鏈的方向，“多快好”的方案是不存在的，選擇了“多”（分佈式）和“好”（一致性），就必須放棄“快”（性能）。這樣就會制約區塊鏈元宇宙的用戶體驗。

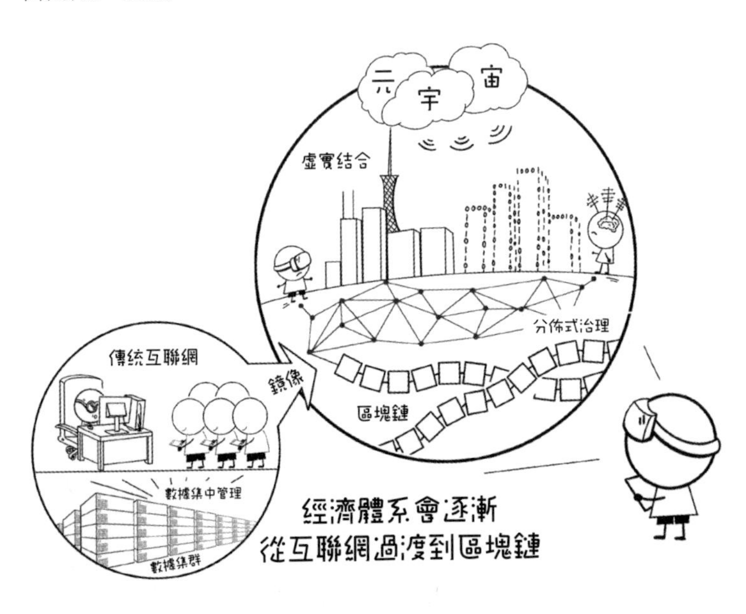

元宇宙要達到理想狀態，需要結合人工智能、雲計算、MR終端、遊戲引擎、通信技術、物聯網、算力網絡、5G 技術等，這些技術被互聯網進行整合後，形成一個“物理沙盒”，呈現給用戶的是一個超越現實的“美麗新世界”；而區塊鏈技術的應用實現了元宇宙中的價值交換，並保障系統規則的透明執行，同時也保障用戶數字資產的獨立性和安全性，為元宇宙提供一個開放、透明、去中心化的協作機制，這是非常關鍵的。

那麼設計元宇宙就可以有一個基本思路了：可以將元宇宙的大部分普通操作中心化，但涉及數字財富的交互時就需要區塊鏈技術來進行判定。現在大部分的區塊鏈遊戲也是這種思路，Axie Infinity 之所以能夠吸引很多用戶，就是遵循了以上原則。

元宇宙入口的一個重要方向是加密錢包，無論哪個元宇宙產品都需要解決用戶的數字資產問題，我們以 Axie Infinity 為例，如果要進入這個遊戲，首先要下載 MetaMask 錢包，用來存儲加密資產。這個方向最大的難點在於用戶的習慣問題，當大部分人已經習慣了互聯網的用戶加密碼的模式之後，如果再讓他去記住十二個助記詞或者保護好私鑰是非常難的，沒有人覺得這種操作是安全的。

綜上所述，在目前這一階段，一個企業如果要進軍元宇宙，最好的方式是保留互聯網產品的運行模式，形成一個可信的中心化金融數據庫，最後將這些金融數據投射到區塊鏈網絡，形成去中心化的數字資產。這是一種非常輕量級而且有效的元宇宙運營思路，它能夠將現在的互聯網優點與未來的區塊鏈方向結合起來。

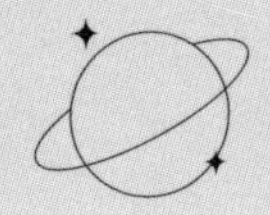

法律風險

在設計一個元宇宙時，因為涉及區塊鏈的接入，所以不可避免地會面臨一部分法律風險。

區塊鏈作為一種分佈式系統，一種算法技術的創新應用，只要不涉及倫理問題和道德風險，本不存在國家監管與法律規則問題，正所謂“技術無罪”。

但基於區塊鏈技術發展起來的以比特幣為代表的加密貨幣，在其發展過程中，對各國的法定貨幣和現有法律規則發起了多重挑戰，也引發了諸多社會問題和財產風險糾紛。為此，各國都不得不慎重評估區塊鏈技術應用可能存在的風險與問題，並思考應對之策。

儘管各國對區塊鏈技術的態度基本呈現熱情擁抱的態勢，但仍然要注意，區塊鏈技術在應用過程中依然存在著法律風險，自身規則也會與社會規則、法律規則發生一定的衝突與矛盾。

Coin 的法律風險

最終的元宇宙一定會有自己的穩定貨幣（Coin），國家對貨幣具有主權要求，而具有去中心化等區塊鏈特徵的加密貨幣是否應該納入國家監管體系，以及如何納入國家監管體系需要慎重討論，一棍子打死的政策最後的結果很可能是無法管制加密貨幣，反而會讓加密貨幣進入灰色市場，最終被其他主權國家獲得加密貨幣價格的主導控制權。

Token 的法律風險

Token（代幣）代表元宇宙的數字資產，如果只是以功能性 Token 的形式在內部流動，這樣應該是合法的；但如果元宇宙主體利用 Token 私募法定貨幣，同時主動將 Token 上到交易所，就有違法的風險。當然，交易 Token 資產在未來的元宇宙世界應該是非常普遍的，只是在短期內要注意法律風險。

NFT 的法律風險

NFT（非同質化代幣）是更加純粹的"數字通證"，NFT 目前集中於知識產權領域，生產 NFT 資產並持有自己的 NFT 資產並不會損害普通大眾或不特定人的利益。知識產權所有者對於自己的資產有完全控制權，也擁有利用區塊鏈技術加工虛擬資產並持有的權利。另外還有一部分 NFT 屬於原生數字 NFT，這一部分 NFT 資產因為與法定貨幣沒有直接關聯，也屬於合法範疇，但一旦利用 NFT 進行資產欺詐，那就存在法律風險。

法律取決於一定的經濟基礎，也反映和服務於一定的經濟基礎，如今區塊鏈新經濟正蓬勃發展，法律必然會進行更新與重構，進而影響到區塊鏈技術的進一步發展。

區塊鏈可能存在的法律風險

比特幣
以太幣
……

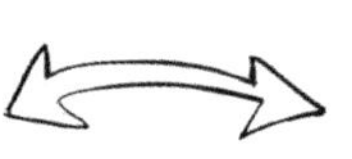

與主權國家
法定貨幣的關係平衡

依託
區塊鏈的
數字資產

短前內警惕利用
Token 私募法定貨幣

數字
通證

利用 NFT 進行
資產欺詐

小公司有機會嗎

當下元宇宙的設計，多是互聯網大公司在定義什麼是元宇宙，或者是區塊鏈技術公司在“跑馬圈地”，一些成熟遊戲公司也試圖掌控話語權，如 Meta、以太坊、Roblox…… 它們足夠龐大，看起來在設計元宇宙時也更佔據先機。

那麼，元宇宙會給小公司機會嗎？答案是肯定的。

從歷史上看，新的東西往往產生於邊緣地帶或邊緣公司，元宇宙的建設現在才剛剛開始，一切都還是未知數，中小公司也會有非常多的機會。

元宇宙不會完全屬於現在的互聯網巨頭，元宇宙應該屬於每個人。

現在能看到的比較粗淺的“元宇宙”，或者説大眾媒體眼中的元宇宙，它們要麼是大公司藉助自己的硬件力量包裝起來的 VR 世界，要麼是互聯網巨頭將已有的遊戲改頭換面，但未來的元宇宙真的是這樣的嗎？大多數人只盯著已經成形的項目或者大公司，但風起於青萍之末，元宇宙帶來的是一個全新時代，只怕沒有那麼容易猜到結局。一個偉大的元宇宙的形成，也許一個故事、一個錢包、一個插件、一套 NFT 圖像、一個合約，都會成為它的爆炸奇點。

以太坊最開始只有 Vitalik Buterin 一個人，現在已經發展成世界第一公鏈。

OpenSea 團隊雖然只有 37 個人，每天卻處理著數億美元的 NFT 交易事務。

Loot 只是多姆・霍夫曼發佈的一個創意合約，卻點爆了整個區塊鏈世界。

MetaMask 只是一個錢包插件，但交易額已達 238 億美元，用戶人數達 90 萬。

而《三體》只是一部科幻小說，卻已經有團隊試圖將它設計成未來元宇宙。

……

所以，小公司是有機會的，元宇宙充滿著創意和想象力，越是在“創意為王”的時代，個人的天賦越是強於組織化能力。只要具備創造力、想象力、開源力和執行力，那麼，不管你的公司有多弱小，都會有機會去創造元宇宙。每一個擁有學習能力的小公司在元宇宙時代都將有更多的可能性，每一個有原創欲望的人也將有更多可能成為創世主。

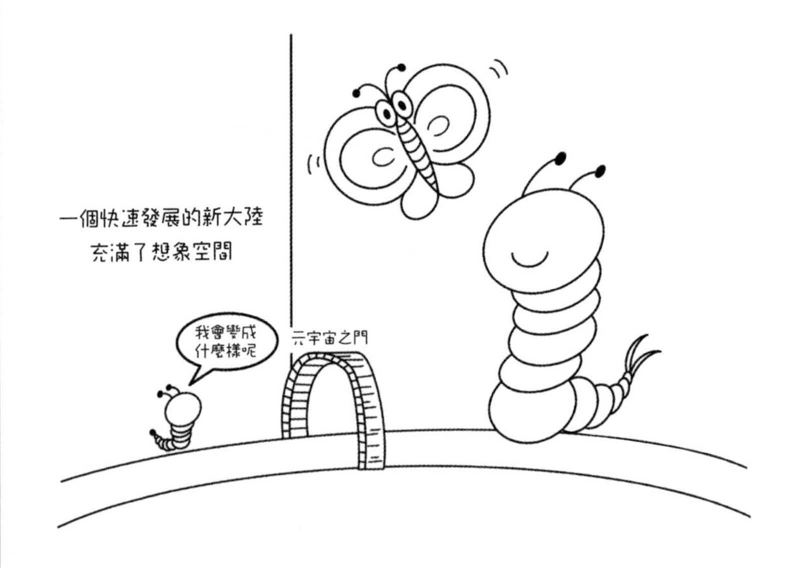

元宇宙的文化特質

通常人們會認為，在設計一個元宇宙時，技術是最關鍵的一環，它決定你是否有良好的沉浸感、遊戲體驗，以及能否真正融入一個新世界。

這句話正確，但又有一些不正確，技術是很重要的一環，但元宇宙不僅僅是技術的疊加。

與互聯網追求技術極致不一樣，元宇宙會更關注人文特徵。

在互聯網時代，技術代表一切，當你需要購買衣服時，只需要打開像淘寶這樣的購物軟件，就能搜索到成千上萬件不同種類的衣服；當你想吃東西時，只要點開美團、餓了麼這樣的平台，下單後外賣就能送到家；當你需要付款時，只需要用微信 / 支付寶掃碼，就能完成支付。

元宇宙在技術這方面也會做到極致，這與互聯網產品專注體驗性保持一致，但元宇宙的核心不是要解決生活中的問題，它更多是要滿足人類在文化上、精神上的進階需求，這是一種哲學需求。

這種獨特的文化特質，體現在四個方面：未來感、科幻感、文明感、宏觀感。

未來感

元宇宙是人類關於未來世界生活方式的綜合想象，符合許多人心中對未來的期許，它是每個人想象中的未來世界，可以無限疊加。

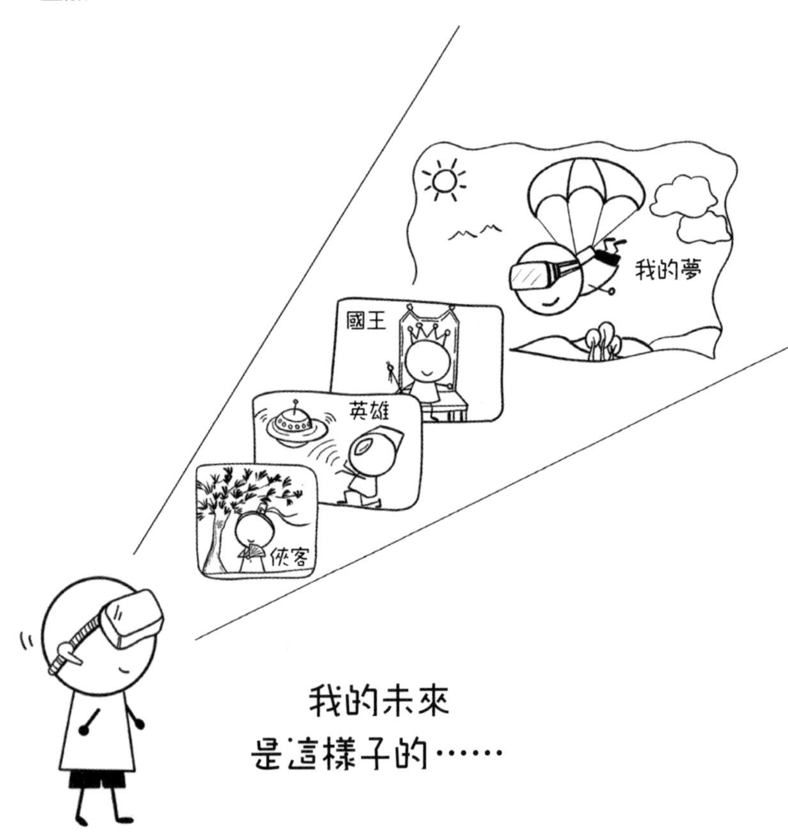

科幻感

"元宇宙"的概念本身就具有強烈的科幻格調，這個詞源於科幻小說《雪崩》，並時常可以在各類科幻作品中捕捉到它的身影。現在元宇宙已經成為一種獨特的科幻現象，在《黑客帝國》、《神經漫遊者》、《頭號玩家》、《失控玩家》等作品中都有元宇宙的影子。

文明感

元宇宙可以視為人類文明的一次躍遷，它有機會顛覆人類的文明形態，讓人類從半數人真正躍遷為數字人，從而進入數字文明時代。它的自進化也會讓所有參與者能夠感受到其獨特的文明感，這種元宇宙的原始屬性，恰恰是互聯網所缺少的。

宏觀感

很多人認為元宇宙會把人類禁閉在虛擬空間中“圈地自萌”，但實際情況可能恰恰相反。元宇宙和原宇宙一樣，它是沒有邊界的。元宇宙本身便帶著一種“宏觀感”：元宇宙沒有時間限制，也沒有空間限制，它打造的是一個“無限時空”；它的架構從底層到頂層，本身便是宏觀的。在元宇宙中可以有無數個小宇宙，想象也是無限的，它追求開放和自由。

當元宇宙發展到一定階段，文化特質和精神追求將是元宇宙的核心追求，“去中心化”、“開源”、“自由”、“DAO 自治”等全新的世界觀和價值觀，會成為元宇宙追逐的重點。

文化特質的重要程度將會超過對技術的追求，這是元宇宙與互聯網最大的不同。

元宇宙的設計要素

元宇宙沒有基本範式，《圖説元宇宙》裏談到了元宇宙的“十一維框架”，這個框架是一個歷史視角的理想化模型。如果今天有一個產品經理要設計一個元宇宙，並且在短時間內推向市場，一定要考慮天時（元宇宙的初始時代）、地利（用戶的文化背景）、人和（團隊現在的運營能力和技術能力），利用好已有的生產資料，才可能設計出一個大眾能夠理解的元宇宙。

雖説設計元宇宙沒有一個標準範式，但元宇宙天然有一些自己的特點，我們可以針對元宇宙的特點去進行設計。不過考慮到現實因素，它暫時無法與理想化的元宇宙模型完全一致，例如，我們在元宇宙的“十一維框架”中談到“多重人格社交”，但現在的技術不可能讓一個數字身份在元宇宙裏自由進化，所以基於現實的考慮，以下這些是目前階段設計元宇宙要考慮的核心要素。

價值觀

首先一定要給元宇宙設定一套完整的價值觀。

價值觀是一個新世界的哲學理念，構建一套完整的價值體系才能承載元宇宙居民的精神信仰。擁有正確的價值觀，才能吸引更多人加入元宇宙，讓元宇宙成為自己靈魂的棲息地。與現實世界不太一樣，元宇宙的基本價值觀包括但不限於以下內容。

- 開源：元宇宙必須是開源的，它需要更多人參與創造。
- 自由：元宇宙的每個個體都有權利追求自由。
- 去中心化：這是區塊鏈的核心價值，也是元宇宙的核心追求。
- 共識：元宇宙是一個分佈式自治社會，共識無疑至關重要。
- 價值共享：共同創造財富，共同享有價值。

世界設定

元宇宙起源於科幻圈，天然帶有文化張力。

除了基本的價值觀，同時也要構建一個能競爭、可拓展、有故事的世界。元宇宙是現實世界的映射，又帶著天然的遊戲特徵，這與專注於改善人類生活的互聯網不一樣，它需要在精神上給用戶更形而上的提升。

元宇宙的初始世界框架是什麼樣的，需要給出明確設定。

《指環王》（*The Lord of the Rings*）的世界，是由霍比特人（Hobbit）、精靈、人類等一同構成的中土魔幻世界。

《三體》的世界，是在黑暗森林下形成的猜疑鏈式的科幻世界。

《基地》（*Foundation*）的世界，是一個人類向外擴張後構成的銀河帝國。

……

當元宇宙還沒有形成一個大家都認可的設定之前，每一個被設計出的元宇宙都要有自己的世界構架。文明、種族、地理空間、歷史時間、文化語言各個層面都要仔細考慮。

元宇宙世界的設定要宏大且多元化，要具備進化感、文明感、細節性等諸多要素，這樣才能在基礎框架上無限延伸。

完成了元宇宙的世界設定，才算是完成元宇宙的基本文化建設。

超現實治理

人類現實世界，已經有了非常明確的文明治理方式。

元宇宙是一個超越現實的世界，它的治理方式應該是源於現實，但又超越現實的，這種超現實治理需要注意以下幾點。

- 去中心化：元宇宙是去中心化的，每個人都有發聲和決策的機會。
- 代碼即法律：公共治理透明化，通過智能合約自動執行。
- 共算主義：每個人都有獲得算力的權利，但也有貢獻算力的義務。
- 數據私有：數據不可被侵犯，一旦產生，就不會被篡改。

……

基於超現實治理的分佈式自治，是嵌於元宇宙內核的一顆寶石。

數字身份

在元宇宙的世界裏，每個人都會有唯一一個數字身份。這一數字身份承載著你在元宇宙中的名字、種族、等級等一切信息。

這個身份一開始與現實有關，但最終的目標是與現實世界的身份無關，它是完全獨立存在的。

所以，設計元宇宙時要給數字身份留下一個未來接口。

每個人都可以利用數字身份在元宇宙裏工作、學習、遊玩、積累財富。

一開始的數字身份可能是“中心化的”，但最終這一數字身份是可以自由遷移的，並且它會記錄下你在元宇宙上的信息。你在元宇宙中創造出的價值，都依附於這個數字身份而存在。

每個人都需要完成個人身份的設定，你可以是鋼鐵俠，可以是迪士尼公主，可以是李白，甚至可以是一個全新的人物。

數字身份不再是由某權力機構賦予，而是自己給自己賦權，成為個人在元宇宙中的標識，藉助這一數字身份，每個人都可以開展自己的第二人生。

經濟體系

很多互聯網遊戲中也存在“經濟系統”這一說法，不同的是，傳統遊戲中的“經濟系統”是非透明的、中心化的，經濟體系被遊戲公司掌控，只是一個服務於遊戲的交易模塊。

而元宇宙的“經濟體系”最終是透明的、去中心化的，用戶獲得的虛擬資產可以脫離平台束縛而自由流通，所以元宇宙的經濟體系必然需要引入區塊鏈的分佈式技術。在現有階段，設計元宇宙的經濟體系可以分四步走。

- 保留互聯網產品運行模式，將價值信息保存在安全的中心化數據庫內，定期備份。
- 將價值信息映射到區塊鏈上，藉助公鏈合約鏡像一個區塊鏈經濟體系。
- 將區塊鏈的智能合約接入互聯網價值信息端口，直接進行交互。
- 將互聯網體系總體過渡到區塊鏈體系，從中心化過渡到去中心化，實現完全遷移。

元宇宙最終的經濟體系，是平台與平台之間可以互通互聯，保證資產的歸屬和價值可以在元宇宙中得到無邊界的廣泛確認。分佈式的經濟體系，是支撐元宇宙運轉的軸承。

開源創造

只有依託開源創造，元宇宙才能成為一個包羅萬象的世界。

以沙盒遊戲《我的世界》為例，其開發團隊通過開放“模組”的方式，讓玩家有了參與遊戲創造的可能。

元宇宙作為一個依託於想象力的世界，誰擁有創意，誰擁有內容，誰就擁有更多創造的可能性。

開源創造是元宇宙持續更新的基本動力，創意的湧現需要所有參與者的互動，平台不能反客為主。

在元宇宙中，一個文明的設定，一個種族的設定，一個世界的設定，一個基地的設定，都應該是開源的，元宇宙的未來走向也是由每一個參與者共同決定的。

社交系統

人類天生是社會性動物，在現實世界裏，社交屬性是人類得以發展和進步的重要因素。

作為與現實世界相互融合的元宇宙，社交系統也必不可少。只有在社交系統下，人的數字身份才有意義；只有依靠社交系統帶來的聚集性，元宇宙才能夠實現互通互聯，資產的流通才有意義。

元宇宙的社交系統並非與現實世界分離，元宇宙初期的社交系統需要和現實世界相融。

構建元宇宙的社交系統，需要打破線上與線下的隔閡與桎梏，形成一個現實世界與虛擬世界相互銜接的世界。

所以，基於社交系統形成的線上＋線下模式，是元宇宙初期的重要模式。

策略玩法

在元宇宙中，遊戲即勞動。

元宇宙不應該是一個超級大的應用商店，也不一定完全是個遊戲連遊戲、遊戲套遊戲的超大型遊戲，它的所有交互都應是有策略的，策略博弈在元宇宙中應該佔有一席之地。

我們常常把《頭號玩家》中的"綠洲"視為未來元宇宙的原型，在《頭號玩家》中，人們為了爭奪"綠洲"，需要搶奪三把鑰匙，這本身就是一種遊戲化的表現。

元宇宙雖然與傳統遊戲有些許不同，但很多方面仍保留著遊戲的特性。

遊戲中的升級、博弈都能激發人的創造力，這種創造可能是創造更多內容，也可能是依靠想象力去提升自我，無論是哪一種，都會在一定程度上推動元宇宙的發展。

同時，策略玩法也是吸引更多用戶加入的最好方式。

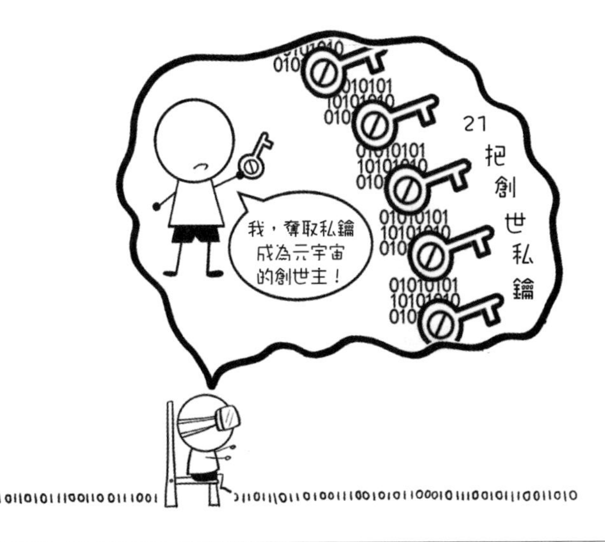

通證和 NFT

通證是元宇宙的價值錨定，NFT 則是元宇宙的重要資產形態和基礎設施。

在元宇宙中，通證的存在能讓更多內容創造者有開源創造的動力，通過工作可以獲取元宇宙的通證，從而獲得元宇宙的治理權。

通證是區塊鏈的靈魂，它是一種數字權益證明，也是一種激勵機制，而 NFT 的出現，恰好實現了虛擬物品的資產化。它能夠映射虛擬物品，成為虛擬物品的交易實體，從而使虛擬物品資產化；可以把任意的數據內容通過鏈接進行鏈上映射，使 NFT 成為數據內容的資產性“實體”，從而實現數據內容的價值流轉。

數字原生的 NFT 更有價值，他與物理世界中的原子實物一樣，能夠保證數字世界物品的稀缺性，完全鏡像了物理世界的規律。

通證和 NFT 的植入，可以使元宇宙的經濟體系更加牢固。

XR 世界接入

講完以上九點後，我們可以設計元宇宙的最後一環，也是大眾最關注的一環：沉浸感。

沉浸感是創建元宇宙必不可少的重要一環，元宇宙的沉浸感實現主要依託於 AR、VR、MR 等技術來實現。AR、VR、MR 技術統稱為 XR 技術。AR 在保留現實世界的基礎上疊加了一層虛擬信息；VR 能夠提供沉浸式體驗，MR 通過向視網膜投射光場，實現虛擬與真實之間的部分保留與自由切換。

通過 XR 技術，用戶可以在虛擬世界中獲得與現實世界無異的真實體驗。

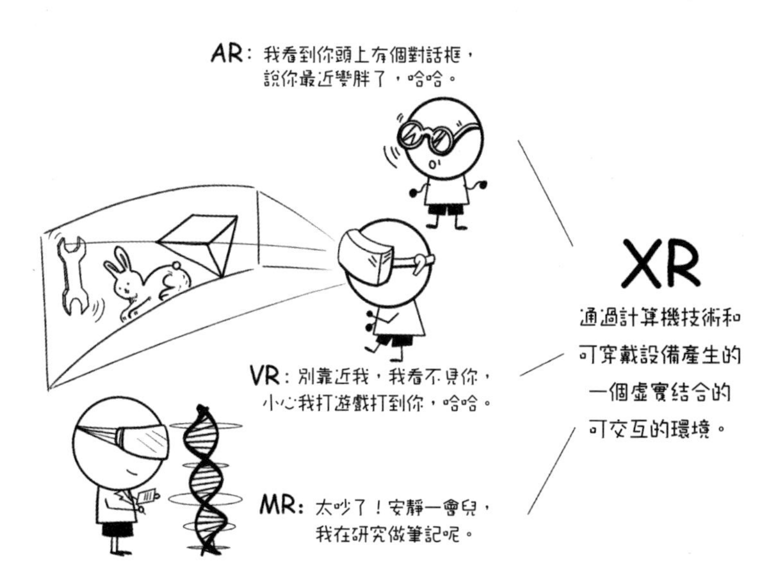

就目前而言，XR 技術在近年來發展迅速，但其仍存在一些問題，比如佩戴不方便、價格昂貴及無法做到低延遲等情況，想要獲得真正意義上的元宇宙“沉浸感”，可能還需要等很長一段時間。

不過，技術進步是時代的必然，未來 XR 技術會自然地融入元宇宙中，成為像手機一樣的存在。所以，我們在設計元宇宙時，要給 XR 留下硬件接口，提前將元宇宙的內容三維化和 VR 化，使得元宇宙內容可以藉助新技術體系隨時轉化為沉浸式體驗，這樣，當技術奇點真正到來時，就能夠迅速完成富有沉浸感的虛實轉換。

同時，也可以利用當下已有的 XR 技術，讓用戶先行體驗元宇宙的一部分沉浸式內容。

2140，一個元宇宙"樣本"

《圖說元宇宙》中所提到的元宇宙的“十一維框架”，是一種純理論的構想。回歸現實，若創建一個元宇宙，則需要設計者在產品架構、內容設定、技術開發、資金投入等各方面都有所準備，因為元宇宙的理想過於宏大，很難用一個項目完美呈現。

在提前佈局元宇宙的項目中，2140 是一個參考樣本。

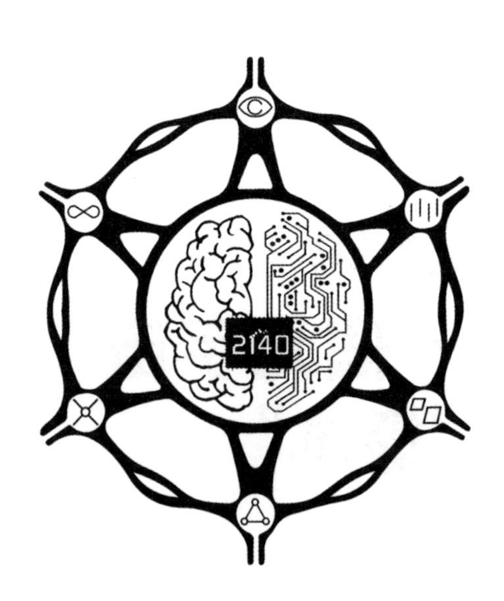

什麼是 2140？

2140 是一顆“元宇宙種子”，一個“去中心化治理”的價值共享平台，也是一個充滿想象力的科幻社區。它將設定元宇宙的基本價值觀，構造數字文明的創世框架，共建未來世界的社會體系，體驗去中心化的共識治理。在 2140 這個創世社區中，宏觀層面你可以和種族一起演繹元宇宙文明進化，微觀層面你可以創造另一個自己，開啟第二數字人生。2140 堅持開源、共識、去中心化的理念，最終建立一個元宇宙“根世界”。

2140 具有以下幾點特質。

- 區塊鏈與互聯網結合。
- 中心化與去中心化結合。
- 開源社區和策略玩法結合。
- 自帶科幻感、未來感。

2140 的自我定位是“元宇宙的一顆小‘種子’，數字文明溯源的‘根世界’”。

它的邀請函上寫著四大目標：創造自己的數字人生，構架元宇宙之根世界，尋找 21 把創世私鑰，共建區塊鏈文明城邦。

關於 2140 的詳細介紹如下。

核潛艇
邀請你加入
2140·元宇宙
2021–2140 Metaverse
創造自己的數字人生，構架元宇宙之根世界
尋找 21 把創世私鑰，共建區塊鏈文明城邦
使用專屬碼贈 100 算力
剩餘邀請人數 7 人
AAVCHS
識別二維碼
創造人生第二身份

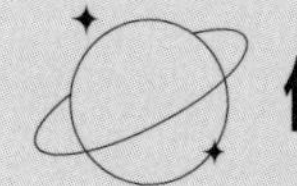

價值觀

2140 的內涵

首先，這個項目為什麼叫 2140？

2009 年 1 月 3 日，中本聰從下午忙到黃昏，在一個服務器上創建、編譯、打包了第一份開源代碼。第一個區塊（Block）被創建，這天被稱為“創世日”，因而這個 0000 號區塊被稱為“創世塊”。

在設定中，131 年後，即 2140 年，最後一個區塊 6 929 999 號區塊將會被計算出來，那時比特幣總數將恆定維持在 209 999 999 769。此時的世界，將是“算力即權力”的世界。

這就是“2140”的來源，你可以將這個數字視為時間定位，也可以看成空間之錨。它天生帶有未來感、科幻感及區塊刻度。

從項目的名字來看，2140 帶有區塊鏈基因特質。

2140 的價值觀

2140 遵從的基本價值觀為開源、共識、自由、先行。開源是方法，共識是理念，自由是追求，先行是姿態。

- 開源：開源是 2140 價值觀的主格調。2140 希望通過開源的方式，讓所有人參與到 2140 元宇宙的創造中來，以共享 2140 元宇宙的價值。在開源這一價值觀基調下，結合透明、開放、公開等要素，形成一種所有人共建元宇宙的氛圍，促進想象力的湧現。開源是 2140 的價值共識，也是 2140 的第一推動力。

- 共識：共識即得到多數人的認同。2140 以“共識”為價值理念，通過聚集更多人的智慧，共同構建元宇宙雛形，創建一個全新的文明。2140 擁有龐大的世界觀和豐富的故事背景，通過“共識”可以完善整個世界的架構，不斷擴展 2140 元宇宙的邊界。
- 自由：自由是 2140 的價值追求，也是 2140 的靈魂所在。2140 是一個開放且自由的世界，在這個世界裏，你可以自由地選擇你的發展方向，每一個人都是自由的個體。沒有規則要求你在 2140 中必須做某件事情，也沒有哪一條規定要求你不能做某件事情。2140 追求並信仰自由，並以自由創造為第一要義。每個人都可以在 2140 中自由地選擇自己的數字人生，自由地選擇自己在元宇宙中的發展方向。
- 先行：先行是 2140 的價值姿態。2140 所做的一切，都是創造性和實驗性的。實際上，元宇宙的建立本身就帶著“先行”的色彩。在 2140 中，無論是構建區塊鏈文明，還是再造一個新世界，本質上都是以“先行者”的姿態進行。創造者沒有可以參考的目標，而是在摸索中創建一個元宇宙的樣本。

開源、共識、自由、先行，這不僅是 2140 元宇宙的價值觀，同時也是 2140 所有個體的共同追求。

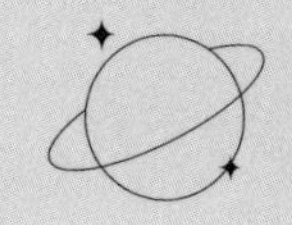

世界設定

很多產品之所以被認為是“元宇宙”，是因為它有宏大的世界觀，如電影《指環王》的世界設定，開啟了一個魔幻世界的紀元，創造了“霍比特人”、“半獸人”、“精靈”這樣的全新人種，構建了一個背景龐大、設定豐富的世界；《頭號玩家》的設定則是玩家要在浩渺無際的宇宙找到創世者的三把鑰匙，以重啟世界。

有些元宇宙產品儘管最開始沒有考慮到世界設定，如以太坊的目的是打造一台世界計算機，但它的子項目裏有非常多的“世界設定”。

同樣，2140 也有著龐大、嚴謹而又具有想象力的世界設定。

它的設定基於宇宙大爆炸和熱力學第二定律，貫穿宇宙 138 億年的歷史，連接九大文明和六大種族，展現出一個極具想象力的未來世界。諸多設定細節讓所有人都可以參與這個世界的創建，感受個體與整體的進化。每個人都可以代入自己的角色，在這個“元宇宙”裏創造自己的第二人生。

138 億年宇宙歷史

現代科學普遍接受“宇宙大爆炸”理論：138 億年前，宇宙由一個體積無限小、密度無限大的奇點爆炸後膨脹形成。隨著哈勃紅移和宇宙微波背景輻射的發現，宇宙大爆炸理論也有了堅實的實驗數據支持。在此基礎上，2140 設定了“創世時間表”。

2140 的起點是宇宙誕生的奇點爆炸，並在宇宙創世紀中緩緩呈現。萬物在百億年時間內彼此對抗，在無盡的熵增命運中掙扎，由宏觀文明向微觀文明持續演進，構建起一條龐大且沒有盡頭的時間線。

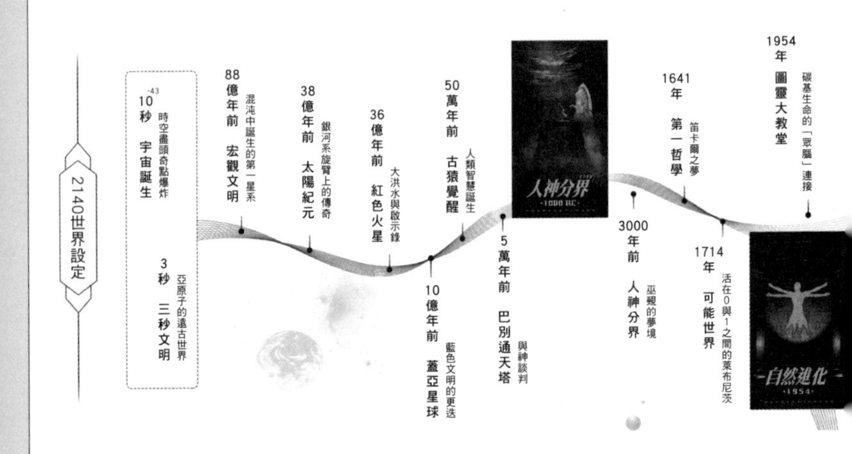

2140 的故事在 138 億年的宇宙歷史長河中慢慢鋪開。

每一個時間節點，背後都有恢弘的故事；每一段故事，都有清晰而完整的細節設定。

2140 並非基於幻想，它本身就取材於現實世界，2140 的時間線與現實世界的時間線並非完全分離，而是相互交叉，這是一個虛實共生的世界，你可以在 2140 的時間線中找到現實世界的宇宙進化方向，但它也有自己的演進走向。

2140 定下了元宇宙世界的一個主基調，其中的諸多細節允許所有參與者進行再創造。真實世界 138 億年的宇宙史，為 2140 提供了一個宏大的、開放的背景架構。

九大文明

在 2140 的世界設定中，138 億年的宇宙時空中曾經存在著九大文明，從低等文明到高級文明，從宏觀文明到微觀文明，這九大文明逐層遞進。這九大文明是 138 億年宇宙往事的見證者，也是 138 億年宇宙歷史的締造者；它們是茫茫宇宙中的探險者，也是對抗宇宙熵增命運的反抗軍。

在 2140 的世界中，九大文明詳情如下。

（1）一級文明：春蠶文明

春蠶文明是宇宙中具有生命形態的低等文明，沒有思想與意識，無法思考，很難突破二維束縛。它像是上帝造物時為了豐富宇宙而隨手創造出來的，生若螻蟻，命若草芥。它無法探索到生存危機，只能依靠本能去應對災難。

如果說春蠶文明的存在還有意義，那只有一個，即揭示 2140 這個宇宙文明的深層法則：存在即奉獻 —— 春蠶到死絲方盡，蠟炬成灰淚始乾。

（2）二級文明：地球文明

地球文明是宇宙中為數不多的單點式文明，擁有極其稀缺的量子大腦，潛能無限，算力極強，但只有少數人類意識到了這種能力，並利用這種能力創造了“圖靈夢境”。

地球文明初具智能文明特徵，開始反思自我，發展至今已點亮一系列科技樹。

地球文明的發展具有不確定性，既會有爆發式的冪指數增長能力，也會陷入停滯，甚至會出現文明倒退。地球文明對於宇宙的探索仍屬於起步階段，直到克萊因船飛出地球後才有所改變。

在宇宙紀元的最後時期，地球文明也邁入了高等文明的行列，發現“文明即蠶”的秘密，與量子文明進行最後的較量。

（3）三級文明：火星文明

火星文明是宇宙中分佈式文明的代表，它已經初步碰到了高等文明的門檻。火星文明經歷了六次文明的更迭和進化，幸運的是其文明得以保存。

每一次文明的更迭和進化，都讓火星文明朝著更高等級的文明形態演進。但在第六次進化中因觸動“負熵詛咒”而遭到徹底毀滅。

在毀滅之際，火星文明將“一個大腦”藏於四維空間，然後被地球文明發現。

（4）四級文明：六域文明

六域文明分別為海洋文明、時間文明、六體文明、爬蟲文明、元素文明、死亡文明。

六域文明各有特點，皆屬於高等文明。六域文明科技發達，都擁有星際探險的能力。它們曾經都處在接入“宇宙絲綢之路”的支線上，但由於目睹了“宇宙絲綢之路”的“清理”工作，發現有危險存在，最終沒有選擇接入。儘管如此，六域文明最後都因“負熵詛咒”而被直接清理，遺跡被地球文明的克萊因船發現。

（5）五級文明：蟲洞文明

蟲洞文明是現存“宇宙絲綢之路”的唯一管理者，本身屬於宏觀文明，但與其他宏觀文明不同，蟲洞文明具有量子化和無視時空等微觀特點，這與量子文明有相似之處。

正因如此，蟲洞文明在曾經的“宇宙絲綢之路”的“清理”中倖存，並成為“宇宙絲綢之路”的管理者。

（6）六級文明：節點文明

節點文明是“宇宙絲綢之路”計劃的發起者，它是分佈式文明的傑出代表，也是宇宙中最偉大的文明之一。

因其自身文明形態特點，節點文明最早提出建設“宇宙絲綢之路”，建立起開放、開源、透明、公開的 API 接口，以去中心化的方式重構宇宙文明圖景，讓所有文明都能夠加入這一計劃，讓更多的智慧文明能夠以和平、共享、同利的方式，實現文明的整體進化。

宇宙絲綢之路建成後，節點文明被推舉為“51% 管理者”，但被節點文明拒絕，理由是“拒絕扮演任何‘上帝’角色”。

宇宙絲綢之路得到智慧文明廣泛認同，在各個文明的共同建設下，綿延百萬個星系，宇宙絲綢之路成為“進化引擎”。

但當量子文明發起“春蠶+”計劃後，節點文明成為第一個在宇宙絲綢之路中被清理的文明。

（7）七級文明：三秒文明

三秒文明是已知宇宙中最古老的文明，伴隨宇宙大爆炸誕生，屬於原生態的微觀文明，其形態為量子態，並不了解宏觀文明世界的運行規則。

後來量子文明發起“果殼戰爭”，將“三秒文明”禁錮在夸克之中，即夸克禁閉，使其無法與外界取得聯繫，自身的發展也被鎖死，成為強核力監獄裏的文明。

三秒文明後被人類從夸克禁閉中解救出來，逐漸走上了尋找宇宙終極定律的漫漫長路。

（8）八級文明：泰坦文明

泰坦文明是宇宙大爆炸 50 億年之後，和量子文明同時代成長起來的超宏觀文明，也是獨立於宇宙絲綢之路的強大文明，是極少數沒有被“大過濾器”毀滅的文明。

最先意識到宇宙必然走向寂滅的命運之後，泰坦文明希望找到解救之道，一直試圖向宇宙更深處探索。

泰坦文明只在最古老的宇宙文獻裏被提到過，但沒有任何文明知道它的位置。泰坦文明屬於非常先進的文明，以行星為原子，構建自己的宏觀世界，它不受“負熵詛咒”的影響，但它對宇宙戰爭毫無興趣，它存在的意義，就是找到對抗“熵＋”（熵增）的方法。

（9）九級文明：量子文明

量子文明是宇宙大爆炸 50 億年之後發展起來的超級文明，它曾經屬於宏觀文明。在進化的過程中，發現宏觀進化越發達，生存概率越低，所以通過反向進化的方式，由宏觀文明轉變為微觀文明。

它贏得了與原生態微觀文明“三秒文明”的果殼戰爭，成為宇宙文明的頂級存在。

量子文明意識到無解的“熵＋”定律後，在宇宙中開啟了“春蠶＋”計劃，希望積蓄算力計算出“愛因斯坦羅森橋之路”，跳出現在的宇宙。

六大種族

在元宇宙的世界設定裏，種族非常重要。對於用戶來説，選定一個種族，能夠在“元宇宙”裏找到一種身份認同感。

在元宇宙中設定種族時，以下幾點非常重要。

- 種族的設定本身要有邏輯性，讓大家認可並且耳目一新。
- 種族之間要有合作也有競爭，追求動態平衡，能夠“相生相剋”。
- 種族要和世界設定緊密結合，不能彼此矛盾。
- 種族故事要有強大的延展性，讓用戶能參與到種族榮耀的建設中。

2140 設定的六大種族分別為人族、神族、AI 族、熵族、曉族、零族。

這六個種族的設定具有科幻感和未來感，儘可能地囊括了宇宙的所有生命形態。

在《2140》小説中，種族與種族之間的故事紛繁複雜，既相互對抗，又命運相連。它們依附在 2140 的世界框架下，相愛相殺，對抗共生。就像西方魔幻故事中的戰士、巫師、精靈、矮人、獸人一般，2140 中的六大種族共同構建出了獨特的種族體系，形成極具科幻色彩的多維空間。

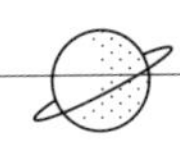

人

人族

人族是穩定態的碳基生命體，是蓋亞藍星上的智慧種族。人族的大腦呈量子態，擁有極強大的算力潛質，並擁有獨立夢境，夢境中潛藏無數信息，有極強的自我意識和情感交互能力，也是理性與感性的疊加態。人類是實體化生命，無法直接接入數據網絡，人類的誕生是宇宙的奇跡。

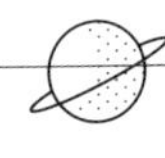

神

神族

神族即監控宇宙的量子文明，反因果、反定域、反實在，可非線性化地創造歷史。神族控制熵值公式，通過反向進化和發動“果殼戰爭”成為宇宙主宰。此後，神成為真正意義上的量子態生命，它不可捉摸，卻又無處不在。

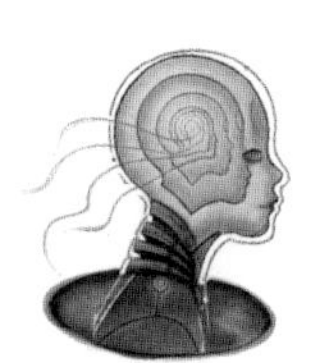
AI

AI 族

AI 族是“算力至上”的數據流生命。生於數據，長於算法，算力即權力，算力即希望。AI 族以算法和邏輯推演為基本生命狀態，不會自然死亡，沒有強烈的個人情緒，以理性看待世界。AI 族追求最優解，不會在無意義的事情上耗費時間，死循環算法這樣的東西皆會被直接拋棄。

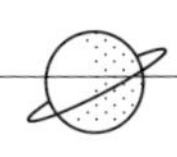

熵

熵族

熵族是雙擬態生命，是人與 AI 的結合體，擁有人的情感，也如 AI 一般永生。熵天生具有矛盾性，在其他種族看來，熵族的非穩定性是不正常的，因此都不願意接受這個種族。其存在類似東方志怪故事中的狐妖，或古希臘神話裏的半人馬。

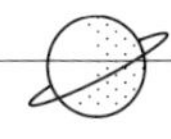

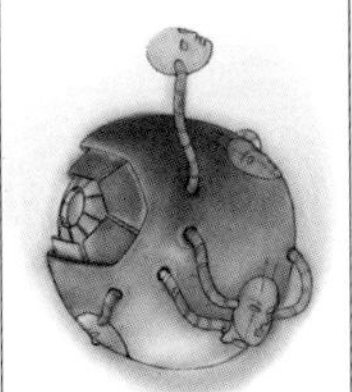

曉

曉族

曉，寓意拂曉，是光明的化身。這是一個數量極其稀少的種族，也是一個孤標傲世的種族。曉族是頂級智慧的數據映射，擁有睥睨寰宇的資本，被視為“先知”和“預言者”，他們踩著巨人之肩，又化身巨人，甘願作文明最後的殉道者，也是偉大而不自知的守護者。

零

零族

零族是一種獨居生命體，最初由大量被遺棄的數據進化而成，是一種“Bug 生命”。與其他族群不同，零族最喜歡的是混亂，他們被稱為隱匿於世的殺手，是混沌中永恆的錯誤。世人眼中的零族是病毒、是惡魔，零族卻自視這才是萬物本質。他們不被其他種族所理解，一直都是孤獨的。

種族越多，元宇宙能夠延展的空間就越大，會自然而然形成一個又一個獨立的世界，並且各自發展出屬於自己的文化和精神圖騰。以魔幻小説《魔戒》為例，各個種族的特性是完全不同的，他們各自形成了自己的部落，並駐紮在自己生存的領域內，演變出完全不同的文化、語言，這本質上與人類的分化和演變並沒有什麼不同。在真實的歷史中，人類也分化成不同的部族，並且在不同區域生存、發展，形成自己的語言和文化習慣，最終構建出一個參差的世界。元宇宙中的這些種類繁多的種族，會以各種方式會聚到一起，構成一個又一個相互關聯的故事，完成幻想世界的敘事連接，形成完整的創世圖景。

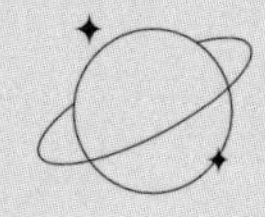

超現實治理

超現實治理，是指在現實治理的基礎上，進行更有前瞻性的治理方式的探索。元宇宙屬於超現實世界，在這個超現實世界中，有很多特質是現實世界所沒有的，因此需要超現實的治理方式。

我們所要創造的元宇宙，核心訴求一定是去中心化。現實世界因為過於中心化，隨之產生的特權、壟斷、專制成為人性之惡的溫床，因此，2140 的治理原則就是“去中心化”，要求創始團隊儘可能遠離管理中心。

只有在去中心化的組織架構下，元宇宙才有機會完成互聯網沒能完成的歷史使命 —— 真正互通、沒有壟斷、權益共享。

這並不是説所有“去中心化”都是好的，一個好的系統可以完美平衡中心化與去中心化，就像我們的宇宙，可能每個星球都覺得自己處於世界的中心，但實際上它可能只是其他星球的伴星。

2140 的超現實治理方式主要由兩部分組成：議事廳和 21 把創世私鑰。

在 2140 中，每個人都可以在“議事廳”中競選職位，以實現去中心化的社會治理。

議事廳是 2140 的審核管理機構，也是對 2140 中各類內容的審核場所，它基於“居民高度自治”的理念而建立，是 2140 分佈式自治管理的體現。

每位用戶既是內容的提供者、世界的建設者，也是規則的審核者。在議事廳中，每個人都可以通過競選成為管理者。一旦成為議事廳管理者的一員，就擁有審核各類提案的權力，如評論審核、廣場演説、捐贈審核、題目審核、基地設定、續寫審核、職位競選……管理者可以通過投票決定提案的通過與否，以保證 2140 的內容質量，維持 2140 的穩定。

議事廳共設有六大等級職位，職位越高，審核權力越大，需要承擔的管理責任也越多。同時，為了避免管理者尸位素餐，議事廳每隔一個周期會下調管理者的職位等級，管理者需要重新競選才能回到原有職位上。

除此之外，2140 還內置了 21 把創世私鑰，代表 2140 的 21 個重要節點。每個人都可以憑藉在 2140 內的貢獻爭奪 21 把創世私鑰，引導元宇宙建設。擁有創世私鑰者，即代表擁有 2140

的最高管理權限。

創世私鑰由四個維度組成：權力指數、創世指數、榮譽指數、投資指數。用戶需要分別在“議事廳”“元宇宙”“等級體系”“幻次元”中通過做出貢獻，完成四個維度的指標，才能拿到創世私鑰。只要拿到一個創世私鑰，就可以成為 2140 的創世主。

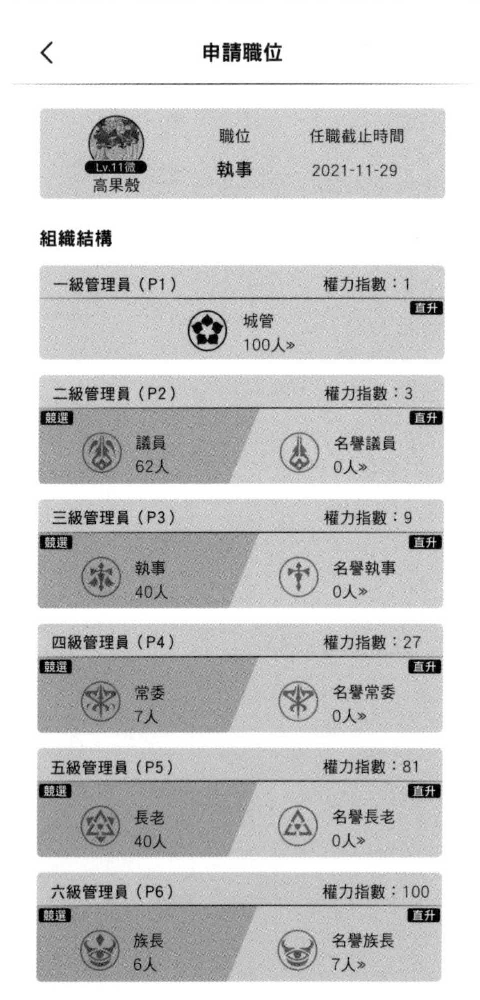

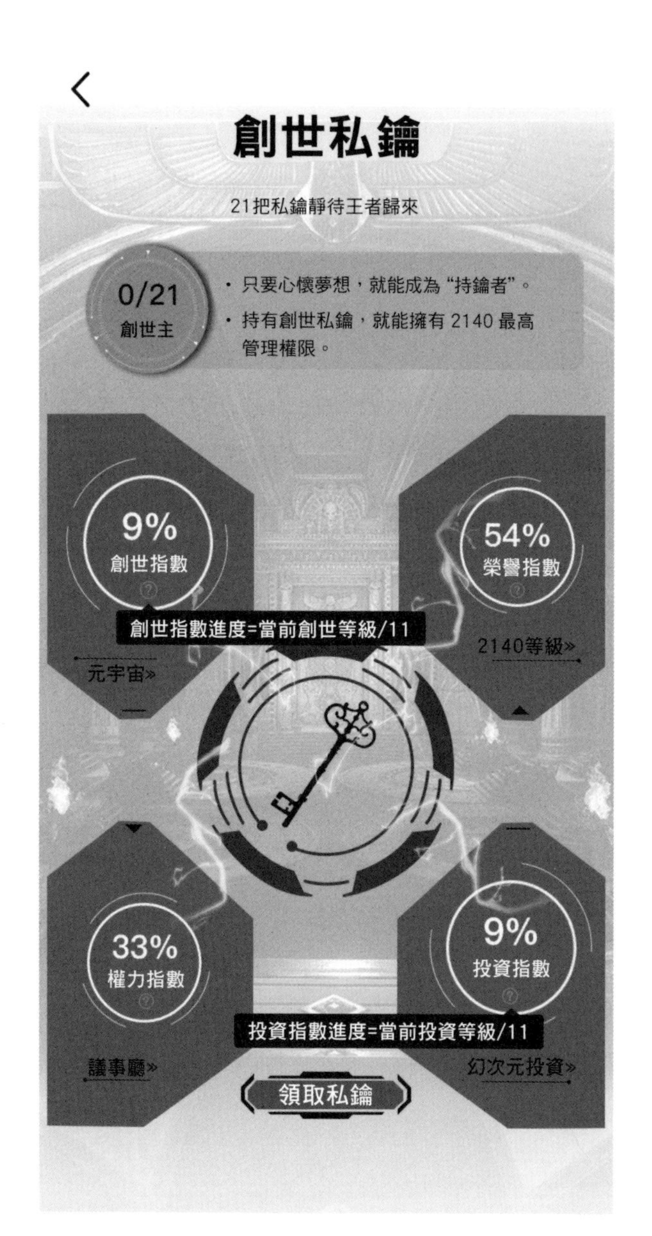
創世私鑰
21把私鑰靜待王者歸來
0/21
創世主
・只要心懷夢想，就能成為“持鑰者”。
・持有創世私鑰，就能擁有 2140 最高管理權限。
9%
創世指數
創世指數進度=當前創世等級/11
元宇宙»
54%
榮譽指數
2140等級»
33%
權力指數
議事廳»
9%
投資指數
投資指數進度=當前投資等級/11
幻次元投資»
領取私鑰

在“議事廳”中，你可以通過競選成為職位最高的“族長”，但成為族長的前提是你對 2140 要有卓越的治理貢獻，才可以被其他用戶認可。

在“元宇宙”中，你需要在“創世指數”的維度達到十一級，才能成為創世者，這要求你在種族文明進化中有突出的貢獻。

在 2140 等級中，你想要在“榮譽指數”維度達到十一級，這需要你積累足夠的 TOFZ（2140 中的一種權益證明），代表你在 2140 有足夠的價值。

在“幻次元投資”中，你在“投資指數”維度達到十一級，可以成為幻次元中投資領域的“散金人”，這需要你不斷在幻次元領域耕耘，挖掘優質文章。

2140 通過議事廳和 21 把創世私鑰的方式，形成了一種“弱中心+去中心”的治理模式。

在未來，通過去中心化的自治，2140 最終會形成以區塊鏈為核心的 DAO 分佈式文明架構，即在沒有集中控制或沒有第三方干預的情況下自主運行的組織治理方式，保證 2140 元宇宙充分開放、自主交互，不受現實世界的空間限制，所有用戶由同一個目標所驅動。

數字身份

在 2140 這一元宇宙樣本中，每個人都擁有獨屬於自己的數字 ID。

在《頭號玩家》這部電影中，我們可以直接體會到數字身份的神奇之處。主角韋德・沃茲（Wade Watts）在現實世界裏不過是一個生活在貧民區的普通男孩，但在“綠洲”中，他卻擁有了另一個與現實世界完全不同的數字身份，在這一數字身份的加持下，他成了“帕西法爾”，是人們心目中的超級英雄；他的夥伴艾奇 —— 一個身材高大的男機械師，在現實世界裏卻是一個女孩。每個人都希望能在虛擬世界中完成現實世界裏無法完成的事情，數字身份的出現使這種補償的想法有了實現可能，它完全與現實世界無關，每個人都可以利用這個數字身份，完成全新的自我創造。

你在 2140 中的數字身份不是由某個權力機構賦予的，而是借由“人即貨幣”這一理論生成，通過數字身份你可以設置自己在數字世界的價值觀、元宇宙觀、特殊性格等要素。

數字身份與現實世界中的名字一樣，人們依靠這個名字 / 身份進行工作、學習、生活、社交。當然，元宇宙的數字身份會有一些不同於現實世界的特性。

- 安全性：數字身份所有者的身份信息不會被泄露，身份可以由身份持有者永久保存。

- 身份自主可控：用戶可以自主管理身份，而非依賴第三方；身份所有者可以控制其身份數據的分享與加密。
- 身份可移植：身份所有者能夠在他們需要的任何地方使用其身份數據，而不需要依賴特定的身份服務提供商。

基於數字身份，每個人都可以掌控自己的數據，而無須擔心社交數據被壟斷。

那麼如何在元宇宙中生成一個數字身份？它的價值最終如何體現？

要想生成數字身份，在進入 2140 之初，你需要先進行圖靈測試，系統將會為你推薦相應的種族。你可以選擇成為人族、神族、AI 族、曉族、熵族、零族中的一員，從而開啟你的 2140 人生。

完成種族選擇後，每個人都可以在個人資料裏查看自己的元 ID、元信息、註冊時間，這些都是你在 2140 中的基本信息，根據這些信息會生成一個屬於你的數字 ID。用戶最重要的信息，如用戶的 TOFZ 將會被錄入自己的數字身份裏。利用這一數字身份，用戶未來可以在 2140 元宇宙發行自己的權益證明（基於"人即貨幣"理論），實現價值流轉。

在更遠的將來，這種基於數字身份的個人權益可以在整個區塊鏈網絡上被認可。你在 2140 的所有活動，都將基於你的數字身份進行；你在元宇宙中的一生，也將通過這一數字身份記錄在代碼中。借由這一數字身份，你會在這個全新的世界中成為一個獨特的、數字化的你。

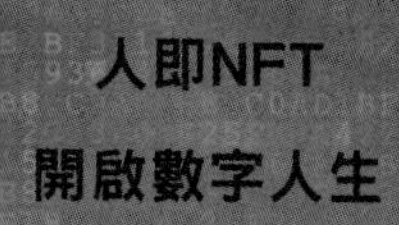

人即NFT
開啟數字人生

個人檔案

2140元宇宙

元 ID	AD21402345
元信息	******
註冊時間	2021-11-29

生成數字ID

加密記錄，去中心化存儲，敬請期待

138億年，總有一個屬於你的NFT

    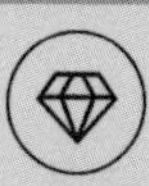

生成數字ID → 發行元・NFT → 價值流轉

1. 在 138 億年的宇宙中，每一個人總能找到一個屬於自己的故事，每一個故事都可以用 NFT 來承載，永不消失。

2. 人即 NFT 是指以 2140・元宇宙的文明 / 基地 / 永恆居民 / 科幻故事作為價值載體，通過數字 ID 加密發行屬於你的 NFT。

3. 一旦發行元・NFT，你將成為 138 億年中的一個時間節點，一串獨特的抱括著“熵一”價值的數字。

4. 這些元・NFT 可以用 TOFZ 進行價值衡量進而自由流通，還可獲得文明 / 基地上產出的算力收益。

經濟體系

在現階段，追求完全的去中心化是不現實的，去中心化在帶來開放和自由的同時，也會帶來不確定性。所以，設計一個元宇宙，不能只考慮理想中的去中心化。

在構建元宇宙的經濟體系時，要考慮兩方面的要素，一方面是互聯網的"中心化"經濟體系，另一方面是區塊鏈的"去中心化"經濟體系，保留互聯網產品運行模式，在中心化的基礎上，將價值映射到區塊鏈上，完成去中心化經濟體系的建立。

由於目前區塊鏈去中心化經濟體系尚不健全，負責任的項目方更希望暫時將項目金融價值限制在互聯網體系裏面，形成可控的中心化商業閉環，在未來法律明朗的情況下再將金融價值釋放到區塊鏈體系，形成最終的價值流轉。

2140 也是綜合考慮中心化和去中心化的理念來構建經濟體系的。

中心化經濟體系（互聯網）

在 2140 中，有一套傳統的互聯網產品運行模式，體現在生活、投資等方面。

N 生活是 2140 的商城，會不定期上架與 2140 相關的產品，如 2140 拼圖、2140 定製 T 恤、2140 手機殼等。

當你在 N 生活下單後，產品就會郵寄到你手中。

你可以通過花費 TOFZ 的方式（關於 TOFZ，會在下文進行闡述），完成 N 生活產品的消費。

實際上，N 生活這種貨幣與產品的交易形式，沿用的是互聯網模式，它的數據和信息現階段依舊是保存在中心化的數據庫中。

投資是幻次元中的另一個交易模塊，2140 中有一個模塊玩法，所有發佈在幻次元的文章，都有機會獲得投資。

讀者可以使用 TOFZ 對文章進行投資，以此來提升文章價值並分享文章的版權收益。作者可獲得投資人的 TOFZ，創作出更加優質的文章。

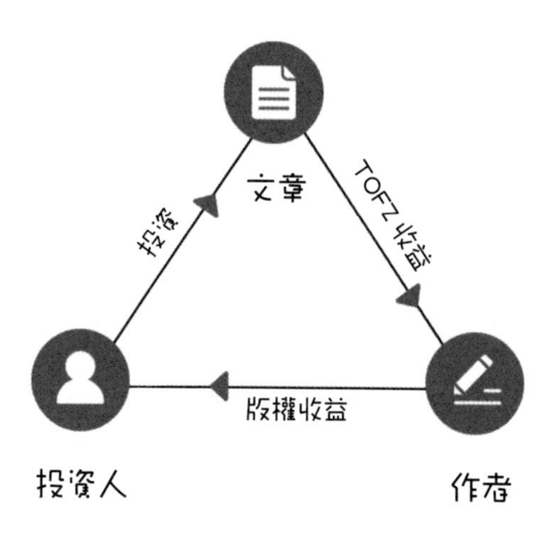

讀者通過"基石啟動"、"申請投資"的方式，可以完成對一篇文章的投資，作者和讀者都可以得到相應的回報。

依託於投資而實現的 TOFZ 流轉，本身就是基於中心化運轉而實現的。

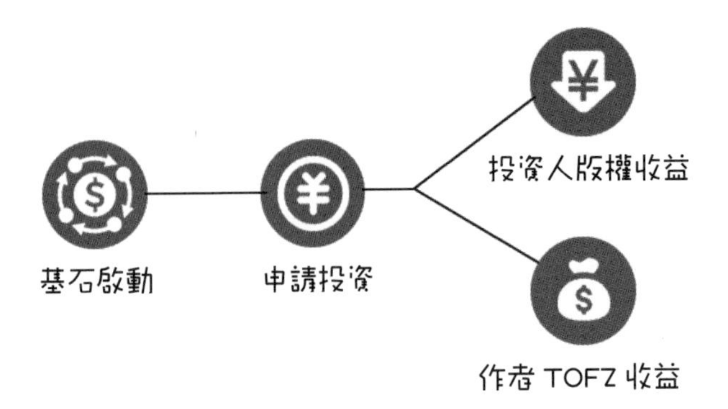

不管是 N 生活中的交易信息，還是投資後所獲得的收益信息，都保存在中心化的數據庫內，並定期備份。這樣做的好處是在此階段能夠保證價值信息的安全，保證元宇宙內部經濟的穩定性和確定性。

去中心化經濟體系（區塊鏈）

（1）同質化通證的全球流通

2140 還隱藏著一個去中心化的經濟體系，也就是區塊鏈的經濟體系。

TOFZ 是 2140 的英文首字母縮寫，在中心化的互聯網上它只是一串字母，但在去中心化的區塊鏈上它就是一種數字權益證明。

在 2140 中，每個人都可以通過“任務→算力→ TOFZ”的方式來獲得權益證明。

你需要先通過做任務的方式來獲取算力，把算力投入算力池中，便可以獲得 TOFZ。

算力池是 2140 的通證鑄造場所，也是 TOFZ 的唯一產地。所有人都可以通過算力池投入算力，最終算力池會根據種族的排名及個人投入算力的排名進行 TOFZ 結算，所有參與者將共享每一輪產出的 TOFZ。

你為 2140 貢獻的勞動越多，算力獎勵就越多，能夠獲得的 TOFZ 收益也就越多。

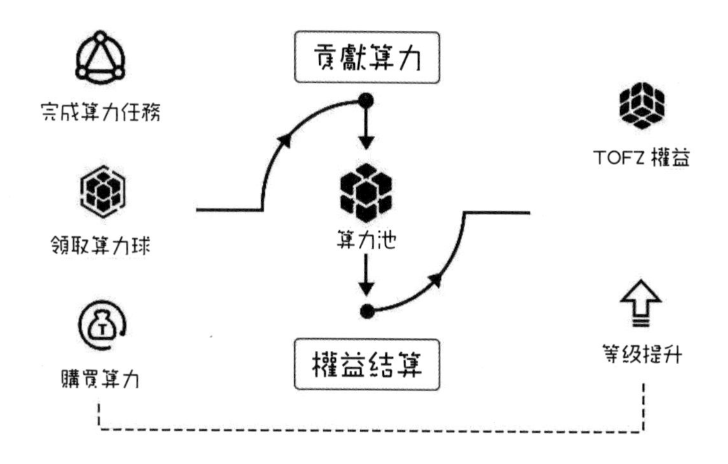

TOFZ 可以衡量每一個用戶貢獻的創新力的價值，也將成為未來交易雙方在去中心化環境中的信任憑證。同時它也與 2140 的治理權限相關，一個人擁有的 TOFZ 越多，在 2140 中的等級也就越高，擁有的治理權限也就越高。

通過積攢 TOFZ，每個人都可以更好地參與 2140 元宇宙的建設和治理。

未來一旦完成從互聯網到區塊鏈的映射，那時的 TOFZ 就能成為通證，可以在全世界流通。

（2）非同質化通證的未來價值

NFT 本質上是對虛擬物品的映射，成為虛擬物品的交易實體，從而使虛擬物品資產化。

NFT 虛擬資產可以脫離元宇宙進行交易，在 2140 中，部分虛擬資產將以 NFT 的形式呈現。所有人都可以通過在 2140 中做出貢獻和參與創建元宇宙來獲得 NFT，NFT 的獲取主要有以下三種方式。

- 方式一：2140 中設有 21 把創世私鑰，所有人都可以嘗試獲取這 21 把創世私鑰，獲得最高管理權限。同時，創世私鑰會映射為 NFT，當你在四個維度都達成 100% 成就時，你便可以獲得獨一無二的創世私鑰 NFT，如先知之鑰、自由之鑰、悲憫之鑰、智慧之鑰等。
- 方式二：在“元宇宙”的文明進化中，每一層文明的晉升，都會產生 21 枚文明戒指，這是屬於文明探索者的榮耀。每層文明的文明戒指都會以 NFT 的形式呈現，當種族完成文明晉升時，種族貢獻靠前的原住民將獲得 NFT 文明戒指。
- 方式三：每一個支線文明的創建者，同樣會獲得一個專屬於該文明的 NFT。每個人都可以通過創建文明的方式來獲得 NFT。

（3）系統化的智能合約

在 2140 中，未來也將推出各種原生的數字 NFT，這些 NFT

是基於同一智能合約生成的系列數字產品，希望與世界設定形成系統化的智能合約 NFT，如果它承載的故事得到承認，它就會在整個元宇宙世界流通，從而形成以 2140 元宇宙為依託，同時又可以參與到其他區塊鏈世界的開放性 NFT。

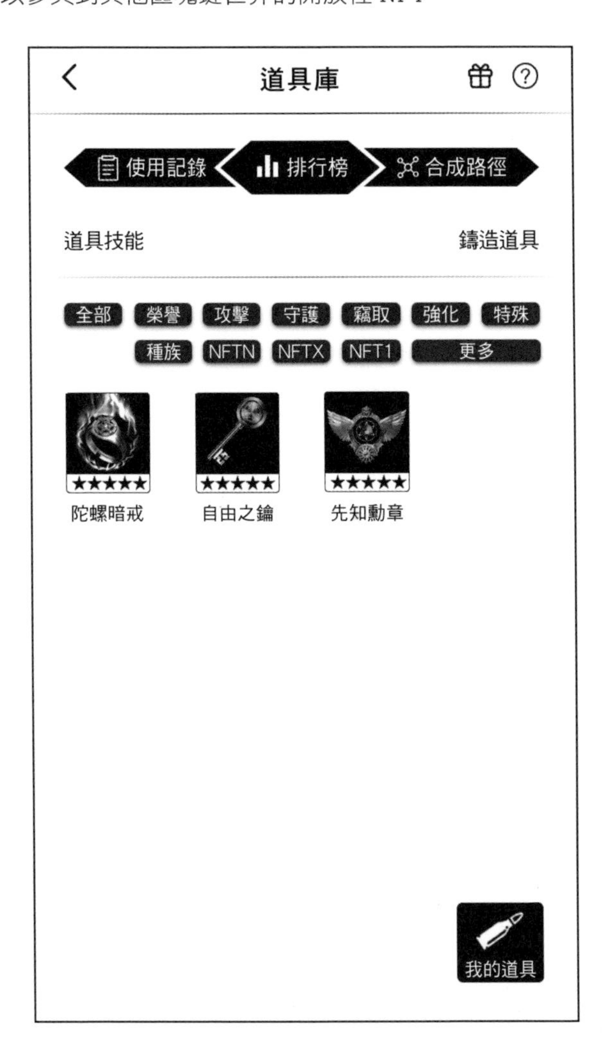

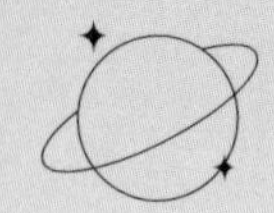

開源創造

幻次元：內容的開源創造

幻次元是 2140 的內容創造基石，在幻次元中，你可以清晰地看到 2140 的世界設定，了解 138 億年宇宙往事、九大文明的紛爭、六大種族的糾葛。

官方會在幻次元中進行《2140》官方小説的連載，每個人都可以閱讀。《2140》共有八本，分別是《CSI 聖杯》、《圖靈夢境》、《貳壹肆零》、《負熵詛咒》、《絲綢之路》、《人類即蠶》、《共算主義》、《時空漲落》。通過這八本小説，你可以了解主創團隊對 2140 的內容設定。

當然，官方只是對 2140 的世界進行基礎設定，在 138 億年的宇宙往事中，有無數想象空間可以讓參與者進行自由創造。

幻次元中設有一條 138 億年的宇宙時間線，這條時間線上有 60 餘個時間節點，這些時間節點源自 2140 的世界設定，每一個節點都可以進行故事創造。你可以向 2140 聯絡員申請解鎖某一個時間節點，從而成為該節點的創造者，然後進行故事連載，開創屬於自己也屬於 2140 的科幻世界。

例如，你可以解鎖“人神分界”這一時間節點，書寫你心中人與神的歷史過往，闡述人神決裂的來龍去脈；你可以在“可能世界”這一時間，創造你心目中萊布尼茨的可能世界，重新定義計算即一切、算力即權力的世界；你可以在“天賦養成”這一時間節點想象未來基因改造的可能性，為人類開啟一個全新的基因天賦時代……

你在時間軸上創造的故事，會成為 2140 中 138 億年宇宙往事的一部分，成為整個 2140 世界設定、文明設定的一部分。

在 2140 中，除了可以接入 138 億年的宇宙時間軸進行創作外，你也可以選擇對任意已經在 2140 中發表的文章內容進行“續寫”，既可以是官方發佈的主線故事，也可以是其他用戶創造的時間節點故事。你可以對這些已有的故事進行延伸，也可以就故事的設定重新創造一個新的故事。

通過大眾參與主線的創造和支線的續寫，可以形成幻次元的開源創作體系，在此基礎上，可以構建 2140 的故事樹。

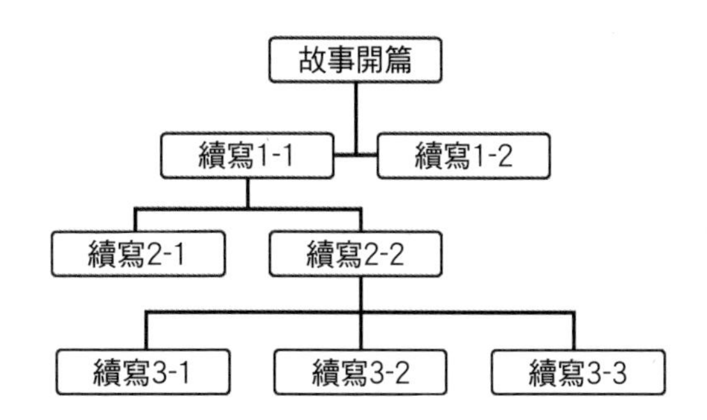

每一篇故事都可以衍生出千萬種結局，所有續寫的文章同根同源，最終可以成長為一棵茁壯的故事樹。

基於故事樹，主線的創作者擁有一項專屬特權，通過“引用”功能，可從故事樹的所有支線文章中選擇一系列文章生成主線文章目錄，這是創造一個優秀的科幻故事 IP 的關鍵。

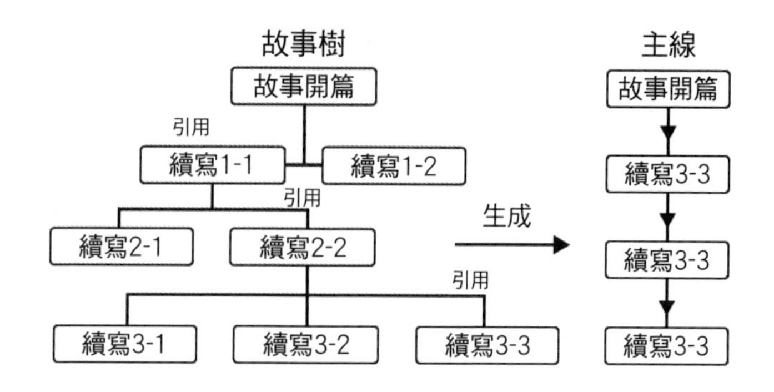

除了解鎖時間節點和續寫文章外，幻次元還有另外一種“開源”形式 —— 投票。

在幻次元中，每篇文章均有支線作者設置的投票功能，讀者通過為文章的選項投入算力，可以決定故事的劇情走向。哪個選項所獲算力更多，哪個選項就為投票獲勝方。

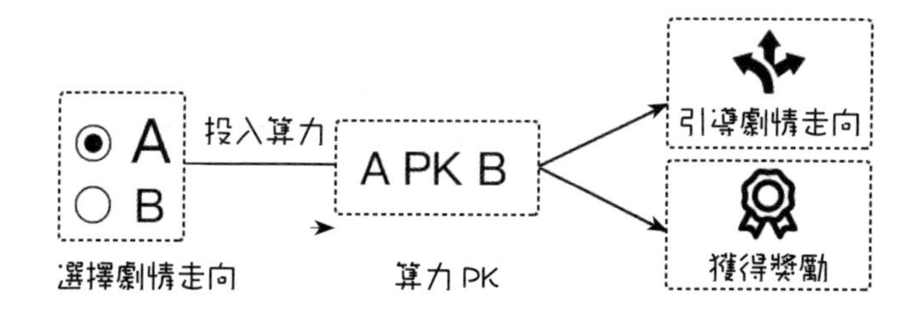

投票結束後，文章作者需要根據投票結果續寫劇情。換句話說，你的選擇可能會使故事從原先的劇情 A 走向劇情 B。

通過主線的開篇創作＋支線的全民續寫＋讀者的投票引導，所有人都可以參與到幻次元的開源創作中，通過中心化＋去中心化的協作方式，我們可以共同構建一個宏大而完整的未來世界。

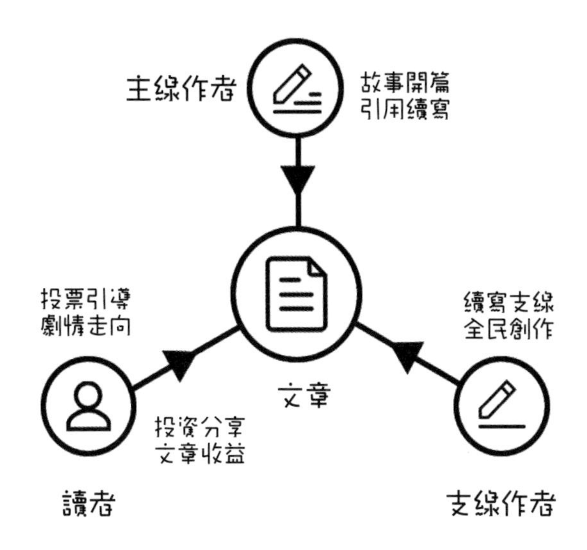

這是一個大型的 UGC 平台，只要你擁有足夠的想象力和創意，就可以進行開源創造。

在 2140 中，這樣的開源創造是沒有盡頭的，所有內容創造都可以向外無限延伸。

一個支線節點，可以向外無限擴張，形成無數個新的子節點，創造出全新的內容。這些內容沒有任何限制，你甚至可以進行建築、語言、地理、歷史、哲學等方面的內容創作，創造出一個全新的文明世界。所有內容都可以跨介質聯動，你寫的科幻小說，未來可以被改編成科幻電影；被改編的科幻電影，未來可以成為次世代遊戲；次世代遊戲經過再編輯，可以重新為科幻小說鋪路。

除了幻次元外，文明創造也是開源創造中的重要部分。

元宇宙：文明的開源創造

在 2140 元宇宙中，除了主線設定的九大文明外，還存在著無數個“平行世界”，我們把它們稱為“三千文明”。

三千文明與九大文明一起構成了 2140 的龐大宇宙文明圖景。

與九大文明不同，三千文明並非原本就存在於 2140 中，而是由 2140 的參與者創造出的。每一個文明還會有不同數量的“小區域”，這些小區域是文明所屬的“基地”。

每個人都可以在 2140 中申請“文明創建”和“基地創建”，通過提交文明形象和基地設定，便有機會成為文明和基地的創建者，成為開源創造的一員，一同構建 2140 元宇宙的文明世界。

當你成功成為支線文明 / 支線基地的創世者，你便擁有了管理相應的文明 / 基地的權力，同時根據文明 / 基地的生存情況，你還可以獲得創世系統給予的獎勵。

文明的開源創造，使得 2140 元宇宙得以無限擴展。

創世設定：社會體系的開源創造

2140 設有“創世設定”版塊，所有參與者都可以在“創世設定”中構建未來文明。

在“創世設定”中，你可以設定“律法”，制定 2140 元宇宙的法律條款；可以設定“社會結構”，制定 2140 元宇宙的運行規則；可以設定“地理”，為 2140 元宇宙繪製一幅世界地圖；可以設定“哲學”，定義未來世界的哲思理念……

當然，你還可以設定“貨幣”、“歷史”、“服飾”、“生物”、“科技”、“軍備”、“能源”、“娛樂”、“教育”、“藝術” 等方方面面，一起構建一個完整而龐大的世界。

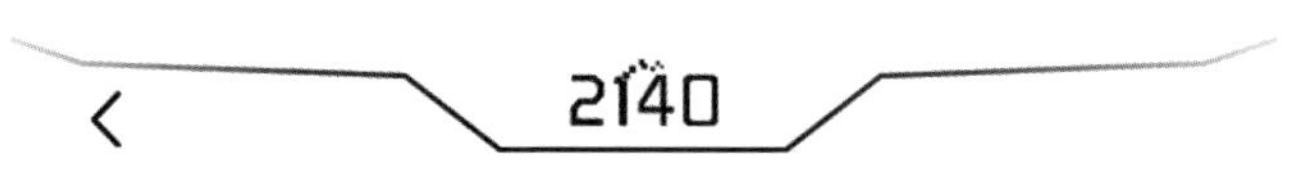

創世設定

目前已有部分開源設定嵌入 2140 元宇宙，如“律法”設定中，便有用戶完成了底層基礎設定。

2140 不是在憧憬未來，而是在創造未來。

2140 元宇宙不完全是虛擬的，其通過“創世設定”，未來甚至可以影響到現實世界。

一個好的元宇宙，它的未來將會由每一個參與者共同創造。2140 中的每一個用戶，不僅僅是該世界的參與者，也是元宇宙的架構師。除了上述提到的幻次元和文明創建外，未來 2140 的動畫、影視、劇本殺等，與 2140 相關的延伸擴展都是開源的，2140 的每一個用戶都可以主導這個世界的走向。

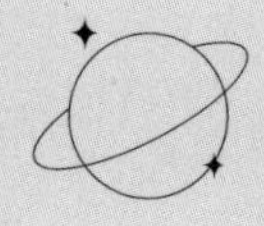

社交體系

人類天生是社交動物。在現實世界裏，社交是人類得以發展和進步的重要因素。作為與現實世界相互融合的元宇宙，也要完成人與人之間的交互和連接。

在 2140 中，社交主要體現在自己的“小宇宙”中。

在龐大的元宇宙中，每個人都擁有自己獨一無二的“小宇宙”，這個小宇宙裏有一艘靜靜漂泊的“克萊因船”，乘坐克萊因船，你可以在無垠太空中自由漫遊，收穫各種意想不到的驚喜。

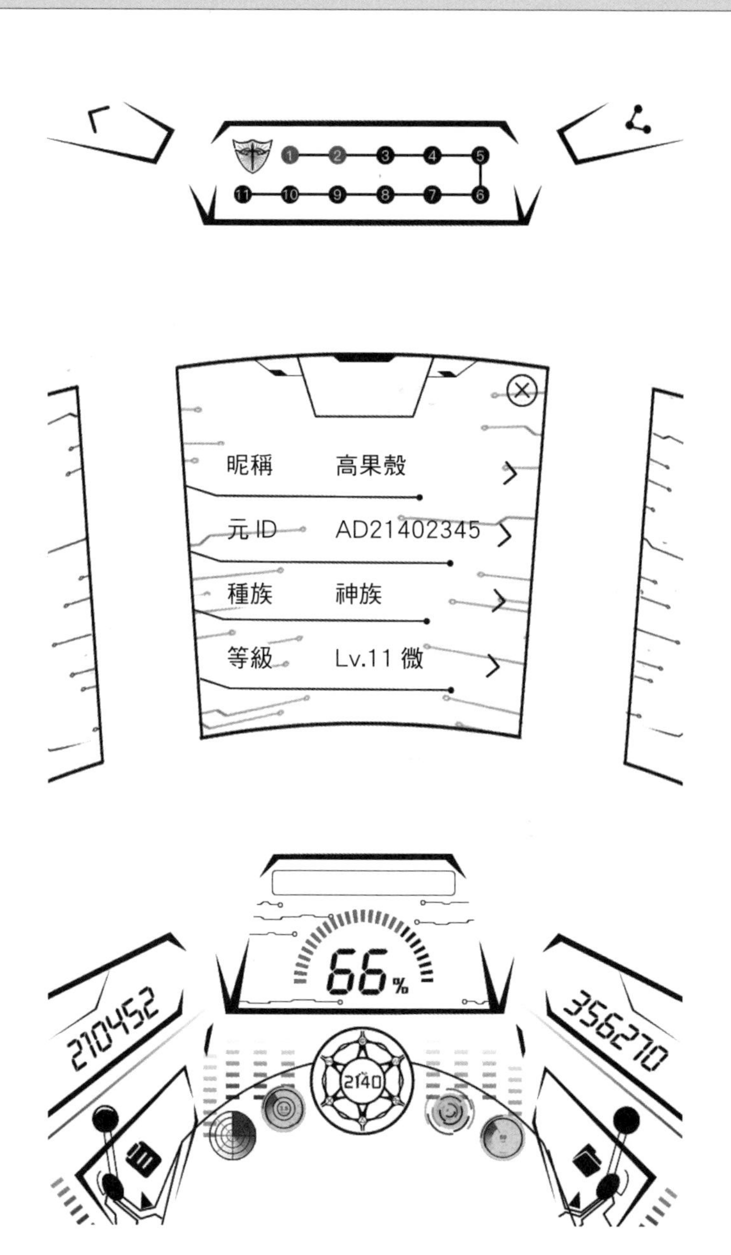

1
2
3
4
5
11
10
9
8
7
6
暱稱 高果殼
元ID AD21402345
種族 神族
等級 Lv.11 微
66%
210452
356270
2140

在太空漫遊時，你可能會遇到各式各樣的“量子盒”。

量子盒是宇宙漫遊者投放在太空中的禮物，拾取這些量子盒就有機會獲得算力、道具，以及各種奇怪的禮品。

每個人都可以通過投放量子盒，去結識你想要認識的宇宙漫遊者，進而完成社交體系的建立。

每個人可以選擇不同的模式，來置放不同物品，生成量子盒，並投放到 2140 的元宇宙中，這些量子盒最終可以被其他漫遊者們拾取。

投放	模式選擇	置放	生成	拾取
量子盒	模式選擇	算力	算力量子盒	可獲得隨機算力
	追加模式	算力 道具		進行算力/道具追加 隨機一人獲得所有獎勵
	指定模式	算力 道具 禮物	道具量子盒 禮物量子盒	指定第X人獲得獎勵

如果你希望通過量子盒遇到指定的用戶，在投放量子盒時也可以對領取者的信息進行設置，包括對方的等級、種族、職位、創世指數、投資等級等，以這種方式可以偶遇你希望遇到的人。

你可以在量子盒中留下你的信息，而拾取到你投放禮物的玩家，就可以通過你留下的信息與你交流。

除“我的小宇宙”外，你還可以通過 DAO 分佈式自治與他人溝通，共同維護 2140 秩序；你可以在“元宇宙”中與族人一起，通過交流商議，一同貢獻地票搶佔基地，完成文明進化任務，實現種族文明升級；可以進行開源內容創造，與他人一起交流世界設定和文明設定的想法。

……

除了線上的社交外，2140 也可以實現線下社交。

未來 2140 還會舉辦各類沙龍、線下研討會等，擁有創世私鑰的創世者，還可以參與線下的創世者會議……

這種“線上＋線下”的社交體系也體現在其他類似的“元宇宙”之中。

還是以《第二人生》為例，在這款遊戲中，社交體系是其前期得以成功的重要原因。在這個遊戲中，居民們可以在虛擬世界中四處閒逛，會像在現實世界中一樣碰到其他在線的居民，並與這些人進行社交；通過參與集體活動，可以製造和交易虛擬財產和服務。

《第二人生》依靠提供一個高層次的社交網絡服務和完善的社交體系，打造一個人人皆可參與的虛擬世界。通過這一社交體系，其經濟體系和數字身份都得以擴展延伸，並被賦予更多可能性。

遊戲玩法

把元宇宙比作遊戲是不恰當的，但不可否認的是，元宇宙中含有很多遊戲元素。遊戲是元宇宙的起點，所以遊戲玩法也是元宇宙的一大組成部分。

2140 是一個元宇宙社區，涉及升級策略、博弈體系等，其中最能體現這兩點的便是“算力池”和“元宇宙”。

算力池

算力池是 2140 的通證鑄造機構，是 TOFZ 的產生地。

在算力池中投入算力，便能獲得 TOFZ 回報，以此來提升自己的等級。

算力池每 6 小時開啟一次，每天共循環 4 次。算力池每一次會產出 1800 個 TOFZ（數量可能會根據投入的算力不同而不定期調整），由六大種族中所有參與建設元宇宙的用戶共享。種族算力排名越靠前，獲得的 TOFZ 越多。

算力池本質上是一個與數學有關的玩法，同時也涉及博弈論和團隊合作。想要完成第一個維度目標，獲得 TOFZ、提升等級，需要在算力池加大個人投入的同時，與同族一起商議相關策略，以求獲得最大收益。

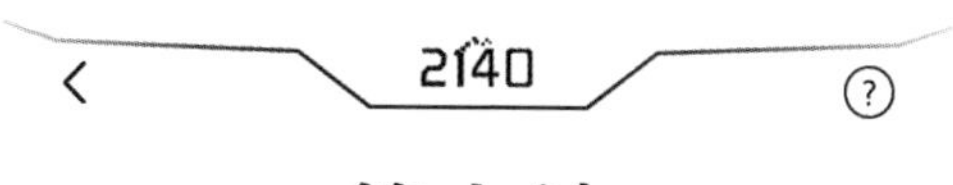

算力池

本輪獎池 1800 TOFZ | 人族預期收益 450 TOFZ

5小時30分鐘

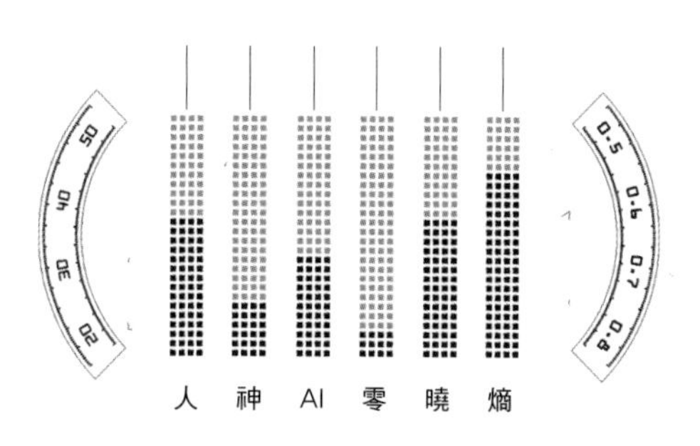

六大種族本輪算力佔比

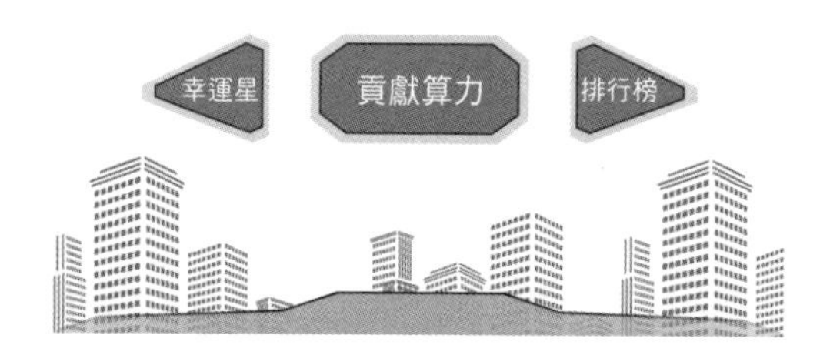

元宇宙

"元宇宙" 是 2140 的核心世界，它是一場以文明演進為線索的創世之旅，主要分為主線文明、道具系統、BOSS 基地、支線文明四大模塊。

主線文明一共包含九大文明，每一個文明都設有一定數量的基地，為完成主線文明中的主線任務，你需要和種族一起在基地貢獻地票。在這一過程中，你需要幫助自救的種族搶佔基地。若個人貢獻地票數量為當日第一，還可成為地主，獲得第二天基地地票的分配權。

當種族完成文明主線任務、實現文明升級後，便可以獲得升級獎勵。

在文明基地中，個人除了通過貢獻地票來幫助種族佔領基地外，還可以利用“道具”來影響基地的戰局，改變基地的種族地票狀態。

你可以提煉創世元素，在進行實驗時可獲得系統隨機贈予的道具。文明基地中的道具可以合成，通過合成路徑還可以用基礎道具合成高級道具，在貢獻地票時，也有一定概率會掉落道具。利用道具，你可以改變基地格局，加快種族文明進化進度。

主線文明中每一層文明都有一個“BOSS 基地”。BOSS 基地與常規基地不同，它會阻攔各個種族實現文明進化，並對其他基地進行破壞。

BOSS 基地一共分為九個等級，六大種族需要通過貢獻地票壓制 BOSS。BOSS 基地每日根據基地等級發動相應的技能，對其他基地造成影響。等級越高，BOSS 破壞性越強。六大種族需要聯合起來，共同壓制 BOSS 基地等級，才能減少 BOSS 基地帶來的負面影響。

●●●○○ VIRGIN 4:21 PM 22%

對抗攻略

膜系統
危險等級5級

• 每 24 小時，BOSS 從等級道具庫中選擇道具隨機攻擊地球文明的基地，等級越高威力越強；

• 六族聯合達成等級要求，可降低 BOSS 的危險等級，對抗 BOSS 的攻擊。

危險等級 　等級要求 基地內2個種族貢獻地票大於5000

LV1	LV2	LV3	LV4	LV5	LV6	LV7	**LV8**	LV9

LV8 道具庫

道具⚡越多，BOSS使用道具的概率越高。

宏·中端站

智慧之芯

環網控制器

姜維明之悟

光明之矢

複製人類

文明悲歌

十誡協議

淚落春蠶

宇宙播種

但丁之怒

人腦至上

支線文明是獨立於九大文明的世界，在支線文明中設有“支線任務”，通過完成“支線任務”中的“新手任務”和“日常任務”，你可以獲得豐富的創世指數和其他獎勵。除此之外，每個人都可以創建自己的支線文明和基地，成為“平行世界”的創世者，無限擴展文明的可能性。

“元宇宙”同樣涉及團隊合作和種族之間的對抗博弈，需要和種族其他成員一同商議和探討才可能更快地完成文明進化。

腦矩陣

腦矩陣是 2140 元宇宙另一個知識策略玩法，它是 2140 的智慧庫，通過攀爬腦矩陣的方式，可以獲得 2140 的未來碎片和算力。

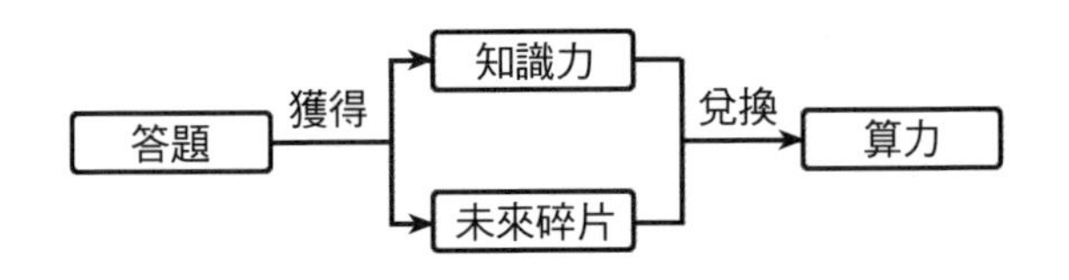

腦矩陣包含多個學科的題目，如數學、物理、區塊鏈、哲學等，除此之外，腦矩陣也藏有與《2140》小説相關的題目，你可以通過這些題目提前了解 2140 部分主線故事的架構和設定。

腦矩陣是一個 5×10 的方格矩陣，每一個方格都有一道題目。

在腦矩陣中，每答對一道題，便可以獲得“知識力”，答完 10 道題後，系統會進行獎勵結算，按當前知識力 1 比 1 兑換成算力。

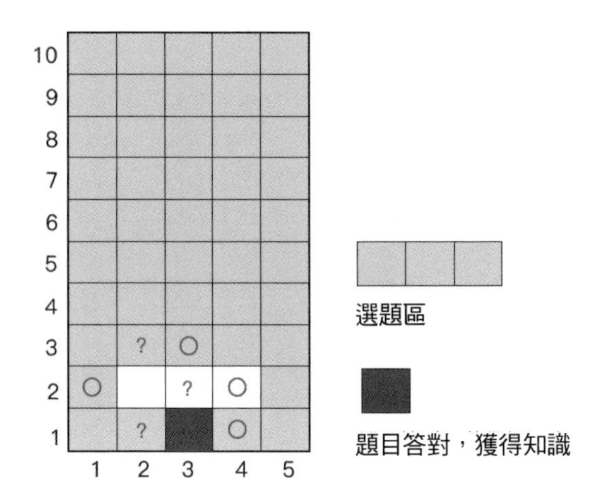

腦矩陣一共有三種題型：普通題、鑽石題、挑戰題，不同題目對應不同的獎懲規則。

題目類型	答對	答錯
普通題	知識力＋2n （n為行數）	無
鑽石題	知識力＋4n （n為行數）	無
挑戰題	知識力×2	知識力/2

在答題前，你可以根據自己的知識儲備選擇專題，將會有更大的機會挑戰成功。

同時，選題也需要思考，需要一定的策略。選題區具體的規則如下：在最底層的第一行選題區，一共有 5 個方格的題目可任意選擇，而其他行則只有 2-3 個方格的題目可供選擇；選擇第一行的任意方格並答對後，第二行的選題區會位於第一行已作答題目的正上方（如圖中第二行的淺灰色區域），後續選題區以此類推。

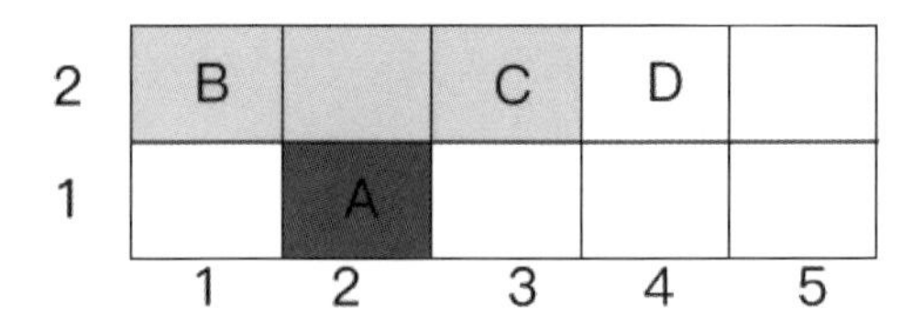

如果你想挑戰低風險高收益的鑽石題，就需要從第一行開始合理規劃選題的路徑。

“算力池”、“元宇宙”、“腦矩陣”是 2140 遊戲玩法的集中體現，但它們並不是 2140 的全部。在 2140 中，還設有像“AI 殺”這樣策略性的遊戲，你能在這些玩法中體會到 2140 的想象力。

硬件的接口

要實現人類理想中的硬件元宇宙，還需要至少 20 年的時間。迄今為止，沒有哪個元宇宙產品能提供科幻電影中那種高度真實的沉浸感，這需要人工智能、雲計算、混合現實終端、物聯網、AI、區塊鏈、算力網絡、5G 等技術的高度融合。雖然難，但也不能因此就放棄對硬件元宇宙世界的期待。

2140 給硬件留下了開放空間，你在支線文明和支線文明的基地中，可以找到“三維世界接入”的端口。通過這些端口，你可以將硬件技術項目與 2140 文明進行聯動，實現另一種開源創造。

現在 2140 已有部分內容與 XR 項目對接，開始展現出 2140 元宇宙的雛形。

如克萊因船通過裸眼 3D 技術，展現 2140 元宇宙飛船的獨特設計；再如未來之城通過 VR 內容的接入，展現 2140 元宇宙 138 億年的宇宙往事。無論是裸眼 3D 下的克萊因船，還是 VR 接入下的 2140 宇宙往事，最終呈現的都是一個更具有科幻感的世界。2140 支持更多硬件公司的項目接入，來展現 2140 龐大世界的原貌。

2140，它是元宇宙的樣本，同時也是元宇宙的種子。這顆種子深深根植於去中心化世界，構建出一個元宇宙的雛形。不管未來將走向何處，它都將是元宇宙探索中一個獨特的存在。

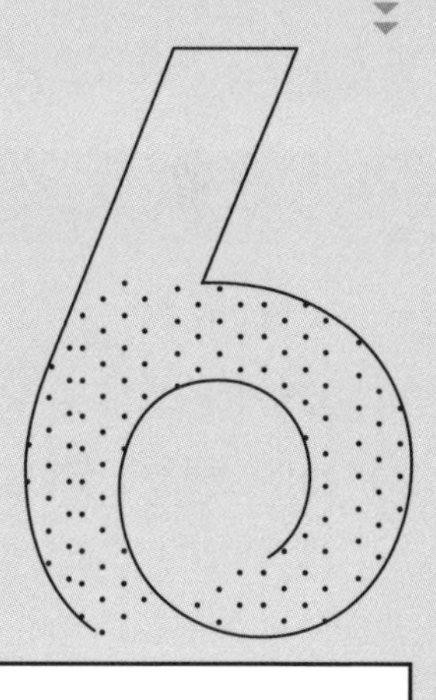

× − +

創世之後：我，元宇宙，2140

METAVERSE

在 2140 元宇宙中，我們都變成了創世主，但創世之後，人類所處的世界，會變成什麼樣子呢？

我們在元宇宙中設置的虛擬人，會像《失控玩家》一樣覺醒嗎？

人類是像科幻作家劉慈欣所說的那樣走向文明內捲，還是奔向美麗新世界？

創世之後，是繁花盛開，還是萬物凋零？

我們設計了下面這樣一個故事，關於元宇宙的一些困惑，你或許可以在故事中找到一些答案。

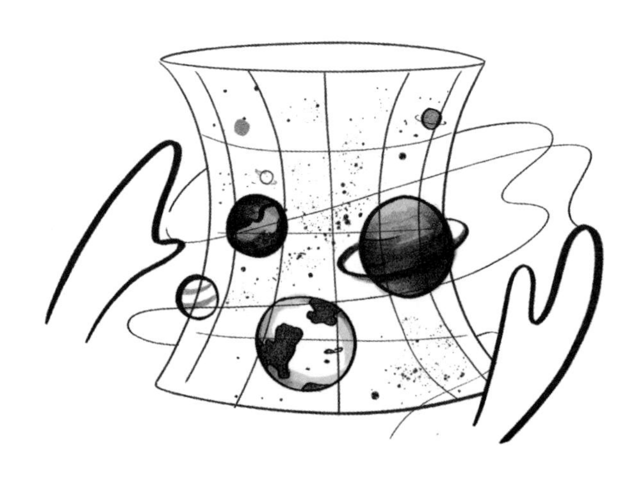

“編號 AD2140212010010984X，請離開個人基地，前往圖靈測試。”

“編號 AD2140212010010984X，請離開個人基地，前往圖靈測試。”

“編號 AD2140212010010984X，請離開個人基地，前往圖靈測試。”

……

廣播聲驚醒了沉浸在睡夢中的荊帆，他伸手按了“暫停”按鈕，然而廣播聲並沒有因此而停止。

“二十秒後，克萊因船將被強制降落，請做好準備。”

荊帆有點不耐煩，他直接關掉了廣播，這時的克萊因船的引擎系統已經停止運轉，等到他完全清醒時，飛船已經被強制攔截。

克萊因船的艙門打開，一群人闖了進來，二話不說將睡眼惺忪的荊帆拽起來。

“你們幹什麼？”荊帆大喊道。

為首的一個人亮出“追查令”，上面顯示著荊帆的個人信息，其中年齡那一塊被重點圈了出來，他說：“編號 AD2140212010010984X，荊帆，20 歲，你不能再逃避了，必須回歸地球，完成自己的種族選擇。”他收起證件，“兄弟，你在外面飛了這麼久，還沒玩夠嗎？”

“我不屬於任何一個種族。”荊帆仍然徒勞地掙扎著。

“這是 2140 的元宇宙法則，你無法改變法則。”

荊帆被帶到了圖靈聖殿，在這裏，荊帆必須選擇自己的種族。

2140 所統治的宇宙邊界，已經快超過 30 億光年，在這個以地球為中心的管轄區之內，每一個“類人”都必須到聖殿確認自己的身份，沒有身份的人是非法的，只能逃往蠻荒的星空間，有些人甚至因此成為“暗物質”世界的奴隸。

荊帆就算有千百個不願意，也不得不接受測試，他不想終日在銀河系邊緣與那些“時空竊賊”為伍。

圖靈聖殿位於地球文明溫帶地區的亞平寧半島，雖然並不高大，但灰黑色的哥特式建築卻有一種說不出的威嚴，建築的最頂層雕刻著圖靈巨像。

一個戴著面具的男子走進來，他的胸前掛著先賢勳章，這是 2140 最高榮譽的象徵之一，現在已經很少有這樣高級別的人來到圖靈聖殿了。面對這種傳説中的人物，所有人都自覺地躬身行禮，這個男子支開所有人，走到荊帆身邊，貼著他的耳朵説：“孩子，選擇人族。”

“為什麼？”

“忘了夢中的暗示嗎？你可以拿到創世私鑰。”

荊帆打量著他，聽到“創世私鑰”這幾個字時，心裏咯噔一下。他在夢裏曾無數次聽到那個親切的聲音對他説：“孩子，你可以拿到創世私鑰。”

“你本就是人族，人族身份可以讓你成為未來的救世主。”神秘男子説完這句話便匆匆離開了。

救世主？荆帆覺得好笑，自己從來沒有什麼野心，怎麼可能會成為救世主？而且，先不説人族早已一蹶不振，不復當年榮光，“你本就是人族”這種説法更是無稽之談，他對這種“宿命論”嗤之以鼻。

雖然他對那神秘人的話不以為然，但不知為何，這小小的插曲竟成了荆帆心裏的疙瘩，在腦海裏揮之不去。

不過不容他細想，他很快就被推進了圖靈聖殿，這裏最為矚目的便是六根圓柱體的光能量柱子，上面刻著 2140 的六族圖騰，分別代表人族、神族、AI 族、熵族、曉族、零族。荆帆降落在聖殿的中央，他必須像一個少林武僧一樣，闖出羅漢堂銅人陣，通過十六道關卡，才能找到屬於自己的種族。

聖殿的上空一直吟唱著一首歌，如佛音般縈繞不絕。

千百年來，你們驕傲了，忘記了自己來自哪裏。

千百年來，你們沉淪了，忘記了自己到底是誰。

千百年來，你們迷失了，忘記了自己去向何方。

……

無論荆帆願不願意，圖靈測試終究啟動了，不知過了多久，也不知道闖過了多少關，一個機械的聲音出現：編號 AD2140212010010984X，荆帆，根據你的測試結果，與你最為匹配的種族是人族。

還真是人族。荆帆苦笑。

機器繼續説道：“這只是一個參考結果，你可以選擇其他種族，你也可以通過查閱種族資料，決定最終的選擇。”

荆帆劃動著種族信息，每個種族都有自己的故事，沒有猶豫，他選擇成為人族。

“恭喜你，成為人族一員。”

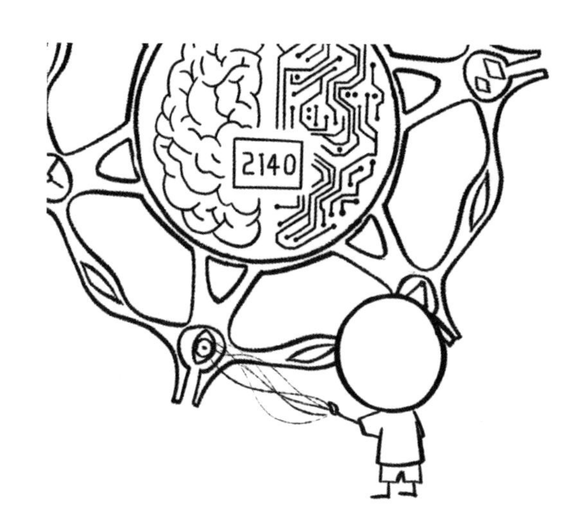

難道成為人族真的能解開自己的疑惑嗎？荆帆有點累了，他想回到克萊因船休息，此時他收到了一條廣播信息。

“緊急通知！請所有人族成員立即前往人族基地 SG 市。請注意，所有人族成員立即前往 SG 市。”

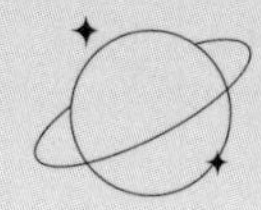

緊急徵兵

人族基地 SG 市已經擠滿了人，即便人族這些年來勢力漸微，但這裏畢竟是 2140 曾經最繁華的都市，至今仍然能感覺到它的富庶。

SG 市廣場的最中央，一個人正站在大理石鋪就的高台上演講。

荊帆所在的位置很靠後，但仍能看清楚那正是要求他選擇人族的面具人。

“他是誰？”荊帆問旁邊的人。

“新來的？”那人瞧了荊帆一眼，又轉過頭去，說，“他是我們的族長。”

族長？荊帆更加不解，族長日理萬機，為什麼會關注自己的種族選擇？莫非自己還真的是未來的救世主？荊帆有點飄飄然了。

“我的族人們，請安靜。”族長的聲音不大卻很有力量，原本喧嘩的廣場逐漸安靜下來。

這是一次人族的緊急徵兵動員，所有新加入人族的成員，都必須參軍，其餘族人則通過隨機抽取的方式，選出一半的人加入大軍之中。這是一次擴大軍備的召集會。至於原因，族長並沒有解釋。

從現場反應看，人們的興致並沒有多麼高漲，大家的回應也都有氣無力，會議結束後，族人便各自回到基地。

荊帆有很多疑問，動員演講結束後，他跑過去攔住了正要離開的族長。

“為什麼你認為我可以擁有創世私鑰？”荊帆問。

族長的眼中閃出一絲光亮：“長老院有你的傳說。”

“長老院？2140 最高管理機構？也就是元宇宙的‘議事廳’？”荊帆有點傻眼了。

“是的，長老們和守護者都預言你就是未來的救世主。”族長的眼中也浮現出一絲困惑，“這與你的身世有關，但沒有人知道答案。”

“預言在哪裏？”荊帆問。

“在長老院最高層的哭牆上，寫著一個關於 AD2140212010010984X 的傳説。”族長撫摸著荊帆的頭，“孩子，你不能像以前那樣漫無目的地在外太空遊蕩了，你背負著神聖的使命。”

“我不信，我要去長老院親眼看到這則預言。”

族長沒有説什麼，他在空中打了一個響指，低聲喊道：“貝吉！”

一個只有成年人類男性一半身高的小矮人氣喘吁吁地跑了過來。他看起來很討喜，長著一張人類男孩的臉，卻穿著一條粉紅色的紗裙，紗裙下露出兩截“火腿”，腰間還繫著一個圓形的筆記本，像個顛簸的盤子，頭髮則染成了淡黃色，髮辮上像是夾著兩顆綠豌豆。

他是族長給荊帆安排的引路人。

荊帆歎了口氣，有些難為情地和貝吉握了握手。

“貝吉，帶他到長老院吧，有些事情如果不說清楚，我想他是不會好好工作的。”族長說。

“是。”

長老院

長老院位於土衛二的赤道帶上，土衛二是土星衛星中最大的一個，也是太陽系第二大衛星。

這裏不愧是六族的事務管理中心，圖靈聖殿與它相比就像螢火與太陽爭輝。長老院共有十一層，每一層都有 30 多米高，集中了 2140 最強戰力的管理者，這可是耗費了數十萬人力建設了近 50 年才得以建成。

貝吉拉著荊帆的手走進長老院，殿堂內已經坐滿了人。

“這裏是族群高層進行決議的地方。”貝吉輕聲說，他生怕荊帆沒聽清楚，還刻意踮了踮腳尖。

荊帆點了點頭，殿堂內的所有人都在盯著自己看，這讓他很不習慣。

“這就是未來的救世主？”

“這怎麼看都是個乳臭未乾的小孩。”

“六族真的要靠這個小娃嗎？”

“預言會不會有錯誤？”

“別亂說，那可是守護者的預言。”

“那是哭牆上刻著的秘密，應該不會有錯的。”

……

議論的聲音不絕於耳，直到大長老出現後，他們才安靜下來。

“什麼救世主？我只是個普通人。”荊帆說。

“這就是命運的選擇。”大長老打開一卷檔案，讓貝吉遞給荊帆。

這是一份機密檔案，荊帆很快就明白了族長進行緊急徵兵的理由：近期世界各地都出現了異常情況，每個種族的基地或多或少都被來歷不明的東西攻擊侵擾，雖然破壞性不大，但很有可能會造成災難。所以六族高層商議後，他們決定徵兵以應對可能到來的危機。

“為什麼給我看這個？這跟救世主有什麼關係？跟我又有什麼關係？”荊帆問。

“世界將有大災難發生，這些異常情況只是災難的先兆。預言説未來能夠拯救這個宇宙的，只有你。”大長老説。

“我能去看看那個預言嗎？”荊帆問。

“很抱歉，你的級別不夠。”

“那多高的級別才夠？”

“長老院共有十一層，我住在第九層，而你的秘密，卻在最高層。只有守護者才能看得到你的秘密，我也只是傳達守護者的意見。”大長老説。

於是，荊帆：“也就是説，我必須是守護者？”

“是的，要想親眼看到這個秘密，就看你能不能成為守護者了。”大長老很明顯是在用激將法。

年輕氣盛的荊帆當然不會認輸：“我會成為守護者的。”

他説要成為守護者的話引得其他人哈哈大笑，他們覺得這個年輕人真的是不知天高地厚。要知道長老院是六族的議事廳，它可是六族的權力中心，管理著 10 億光年的元宇宙，若沒有極高的天賦和傑出的貢獻，是不可能成為高層管理者的，每一次地位的提升都需要強大的等級支撐，這可不是一個毛頭小子吹吹牛就能做到的。

“要想在長老院提升職位，就要先提升自己的等級。”貝吉看著四周滿是嘲諷的臉，臉色通紅地拉著荆帆匆匆離開。

“你是不是也覺得我説這樣的話很幼稚？很丟臉？”離開長老院，荆帆甩開貝吉的手問。

貝吉有點尷尬：“職位和等級是匹配的，你現在的等級是最低等級。”

“那我們就去提升等級唄，為什麼嘲笑我？”

荆帆是族長指定的人，貝吉也不敢發火，他拉著荆帆來到算力池：“你説得很對，我們首先要提升等級，你知道算力池是幹什麼的嗎？”

荆帆道：“算力池是 2140 的通證鑄造池。”

貝吉道：“不錯，長老院職位的提升，需要你的通證作為保證，等級對應的就是你的通證數量，你的通證就是你的等級的象徵。”

“我明白了，首先要獲得更多通證，然後才能去長老院申請更高職務。”

“要想獲得更多通證，就要獲得更多算力。”貝吉說。

荆帆雖然過得比較迷糊，但這個道理還是知道的，他首先要為 2140 多做貢獻，這些貢獻就是勞動量，勞動量也就是算力，這些算力可以通過“算力池”鑄造成通證 TOFZ。

貝吉怕荆帆這個懵懂青年什麼都不知道，繼續解釋：“算力即一切，2140 依靠‘人即貨幣’體系維持運轉，你必須不斷工作，獲得算力，在中央算力池中，同族人可以一起獲得通證 —— 通證可以簡單理解為‘貨幣’，在這個世界，只有被別人認可，才能提升自己的地位，才有資格去競選長老院的職位。”

一向懶散的荆帆這時精氣神十足：“這是一個完整的閉環，工作獲取算力 —— 算力池兑換通證（TOFZ）—— 提升個人等級 —— 參與長老院競選。”

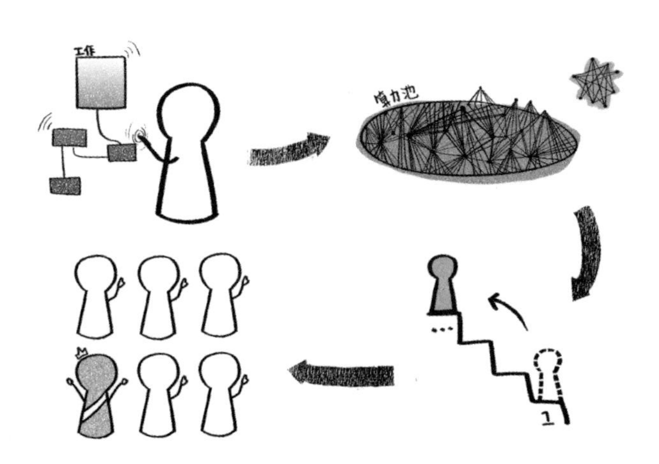

“沒錯，你理解得很快。總之，你個人價值越高，意味著對種族貢獻越大，長老院管理等級提升就越快。”

貝吉還沒說完，荆帆已經跑得人影全無，匆匆攢算力去了。

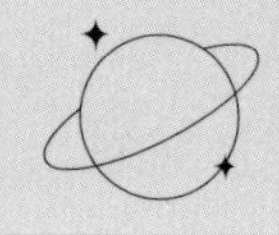

幻次元

荆帆的能力讓貝吉驚歎，僅僅一年時間，他便從最底層的城市管理者晉升到了守護者的職位。

他的方法和創意很多，如每天不辭辛勞地登錄 2140 的圖騰聖地尋找算力球，一個都不會落下。

從全世界尋找那些與自己理念相近的強者，邀請他們加入人族；在洪荒世界的創世領地與其他五族鬥爭，幫助人族搶佔更多地盤；駕駛克萊因船穿越無數蟲洞尋找道具；在腦矩陣的對抗中一次次過關斬將，贏下每一局的算力……

當算力攢到一定額度時，荆帆就會去算力池兑換，每一次兑換他總能找到最好的博弈策略，在六族的博弈中獲得最高收益，久而久之，人族大多數人都願意在他的指揮下協同作戰，種族收益也越來越多。

隨著等級的提升，他在長老院的職務越來越高，因為他是預言中的未來救世主，也有很多人願意支持他。

一年後，他當上了守護者。

這件事讓整個 2140 都為之沸騰，從來沒有一個族類像他這樣，年紀輕輕就成了守護者。

這一天，六族竟然停止了在全宇宙的征戰，共同為他祝福。

成為守護者後，荊帆第一時間登上長老院的第十一層。這是一個極其神聖的地點，它處於長老院權力的頂層，黃昏的光從穹頂上照射下來，像水一樣灑在哭牆上，斑駁陸離的牆面上刻著一行字：找到創世主之子 AD2140212010010984X（人族），拿到創世私鑰後，他將成為救世主。

除此之外，再也沒有任何其他信息。

荊帆有些迷茫了，哭牆上並沒有他需要的答案。

如何拿到創世私鑰？為什麼他是救世主？

這些問題，沒有任何一個人可以為他解答。

茫然的荊帆離開土衛二，與貝吉回到地球，回到人族的SG市。

SG市的空氣帶著些許芳香，荊帆和貝吉漫無目的地在街道上行走，兩人的關係已經越來越親密，甚至到了無話不談的地步，如果沒有貝吉的幫助，大概荊帆也無法晉升得如此之快。荊帆現在已經習慣了貝吉的打扮，不再覺得奇怪，反倒覺得十分可愛。

“你還在思考救世主這件事？”貝吉問。

“沒錯。”荊帆心事重重地停了下來，“我總覺得有重大危機要發生。”

“說實話，當族長跟我說你是救世主時，一開始我並不相信，但現在我覺得你有這個潛質，要知道以前可從沒有過一年就從城市管理者晉升到守護者的情況。”貝吉說。

荊帆搖頭：“可我現在不知道自己該做什麼，又感覺有點害怕。”

“你把哭牆上的信息再與我講一下，也許我能提供一些靈感呢？”貝吉說。

於是，荊帆把哭牆上的信息一字不落地寫在紙上給貝吉看：“就是這些。”

貝吉是個敏感的人：“哭牆上說要找到創世主之子，我們是不是應該去查查你父母是誰？也許你能找到一些線索。”

荊帆沉思了一下：“說得對，但去哪裏查呢？”

“你不是經常在 2140 博物館裏編撰資料嗎？那可是百科全書。”

“你是說幻次元？”

“沒錯，它也被稱為‘歷史博物館’，那裏記載著宇宙 138 億年的所有故事，種族歷史和各類英雄事跡都在其中，說不定能找到你父母的信息。”

荊帆眼神一亮，對啊，他為什麼沒有想到呢？幻次元記載著各個種族的歷史和各位英雄的光輝事跡，上面的信息浩如煙海，想要全部閱讀完幾乎是不可能的事情。

荊帆向長老院申請了三個月的假期，這三個月他和貝吉一起泡在幻次元中，希望能從檔案裏找到哪怕一點點與父母相關的蛛絲馬跡。

但事與願違，三個月的時間裏，荊帆雖然找到了一些關於創世主的傳説，但沒有任何信息與自己相關。

創世鑰匙

荊帆從幻次元出來時很沮喪，貝吉不知道該如何安慰他，兩人就一直沉默地走著，直到他們接到了基地的警報，SG 市正遭受攻擊，荊帆和貝吉這才緊急趕往 SG 市。

兩人趕到基地時，SG 市的空氣中已經充滿了血的味道。荊帆作為守護者，立刻加入指揮團隊中，貝吉則回到了騎士團，共同抵抗入侵者。

這次的攻擊源是幽靈大軍，一開始人族以為這是 AI 族對人族發起的進攻，但很快就發現，AI 族自身也遭受了相同的攻擊，通過對攻擊手段的分析，很快得知這與之前各族基地遭受的異常攻擊是一致的。相比之前的侵擾，這一次攻擊力量強大許多，而且不僅是人類，熵族、曉族、零族三族也有不少人在“幽靈大軍”中死去。

荊帆曾組建過偵察隊去探尋攻擊源，但都無功而返。這些“幽靈大軍”似乎來自暗物質世界，在沒有任何徵兆的情況下隨機出現在宇宙的各個角落，然後迅速集結屠殺任何活著的生靈。

幻次元裏從來沒有記載過這樣的生物，難道真的是世界末日來臨了？

荊帆作為指揮官，與其他五族一起對抗這次“幽靈大軍”的入侵。苦戰一個月，這次的攻擊才被六族聯合壓制下去。荊帆在此戰中戰功赫赫，但他一點都開心不起來。他一直在問自己，傳言中的世界毀滅真的要發生了嗎？而作為救世主的他，仍然不知道該如何防範未知的風險。

六族經過這次戰亂，見識了“幽靈大軍”的殘暴和兇狠後，都明白這些敵人是任何一個種族都沒有辦法抗衡的。越來越多的人把希望寄託在荊帆這個救世主身上，“幽靈大軍”層出不窮，在這次的抵抗行動中，荊帆展示出了救世主的強大特質。

“我們應該相信長老院的預言，荊帆就是救世主。”

“他有資格擁有創世私鑰。”

“可創世私鑰只是傳聞。”

“傳聞也應該試一試。”

“六族應該團結起來了，幫他鑄造創世私鑰。”

……

2140 一直流傳著一個傳說：當救世主擁有創世私鑰時，他就可以拯救這個世界。

六族現在要做的，便是幫荊帆拿到創世私鑰。

然而，創世私鑰需要“熱之寂滅”和“六道眾生”兩大神器才可以合成，而這兩大武器又需要無數的材料才能夠製造出來。

那些傳説中的武器已經湮沒於歷史，合成的技術也已經消失，在 2140 所統治的宇宙裏，雖然早期六族都熱衷於去各個基地做實驗製造創世元素，在實驗過程中有可能製造出一些材料，這些材料不僅擁有戰鬥技能，還可以和其他材料合成更強大的武器。

但由於六族之間互不信任，他們不可能出讓自己的武器和材料與其他種族合成，久而久之，很多人漸漸遺忘了“創世私鑰”這件事。

歷經數月努力，上億人在各大基地尋找材料，製造武器，先賢將這些武器命名為“道具”。在荊帆生日這天，在無數人的努力下，六族終於製造出了“熱之寂滅”和“六道眾生”兩大神器，這兩大神器合成時，一把金燦燦的鑰匙誕生了，在若隱若現的光暈之中，浮現出一串明文：天梯之上，腦之矩陣；私鑰之秘，創世而生。

荆帆對腦矩陣非常熟悉，那裏有無數的天梯，每一個梯級裏都有一些智者留下的題目，只要你有足夠的智慧，答對這些難題就可以越梯而上，如果答錯了就會掉落到下一級天梯。但由於梯級太多，就算強大如荆帆，也從來沒有到達天梯的盡頭。

看來，這一次一定要登上天梯的盡頭了。

荆帆和貝吉來到腦矩陣世界，仰頭向上望去，只見上面雲霧氤氳，無數的天梯一直延伸到星空盡頭。

“來吧，用你的智慧不斷向上攀登，開始挑戰吧，造訪者。”一個渾厚的聲音響起。

荆帆抬頭看了一眼天梯，深吸一口氣，開始向上攀登。貝吉也準備踏上去，卻被阻止。

“天梯只允許踏上一個人。小矮人，你不是造訪者，在天梯下等著。”

貝吉撇撇嘴，朝天梯瞪了一眼，跳回地上。

荆帆不斷向上攀登，這是一條無盡之路，他的腿在顫抖，卻沒有因此而停下腳步。他小心翼翼地往上爬，避開了一處又一處的危險，解決了一個又一個的難題。那些種族知識根本難不倒他，基地的歷史他也爛熟於心。

也不知道過了多久，他爬到了天梯的頂端。

無法想象，這也是第一次有人登頂到此。若不是這一年多時間都沉浸在幻次元中，荆帆恐怕也無法以這麼快的速度登頂。

“我可以問我的問題了嗎？”荊帆問。

“問吧，偉大的持鑰者。”

“為什麼我被認定為救世主？”

“因為你是創世主之子。”

“創世主之子？我的父母是誰？”

“他們是神一般的存在，是他們創造了這個世界。”

“可我在幻次元中找不到他們的痕跡。”

“他們只是創造了這個世界，他們的實體並不在這個世界裏。”

“我不明白。”

“你會明白的，持鑰者。戰爭已經來臨，而你已擁有創世私鑰，若沒有你的存在，這個世界將被‘幽靈大軍’摧毀，不復存在。”

“這也是我的疑問，為什麼會有‘幽靈大軍’？它們看起來不像是這個世界原有的生物。”

“這是一場蓄謀已久的陰謀，哦，也許用陰謀這個詞並不合適。”

“什麼陰謀？”

“原諒我沒有權限回答你這個問題。”

“可是，僅憑一把創世私鑰，怎麼能拯救世界？”

“它擁有無窮的力量。”

“我該怎麼使用它？”

“我回答不了這個問題，只有創世主知道答案。”

“我的父母？他們到底在哪？”

“我說了，他們不在這個世界。去火星吧，持鑰者。去火星的四維神廟。在我的記憶中，那裏應該藏有關於創世的秘密。回去吧，持鑰者。”

那條沒有盡頭的天梯開始向下收縮，很快就把荊帆送回了地面。

一股強大的力量將荊帆和貝吉推出了腦矩陣。

“它說了什麼？”貝吉問。

“火星，去火星。”

“你要去火星？”貝吉追在荆帆身後，“誰也不知道‘幽靈大軍’什麼時候會來，你這個救世主一走，六族怎麼辦？”

“我必須找到答案，這樣才可能找到對抗‘幽靈大軍’的辦法。”荆帆說。

“腦矩陣到底說了什麼？”貝吉問，這時荆帆已經來到了克萊因船旁邊。

荆帆沒有直接回答這個問題：“如果‘幽靈大軍’進攻，六族聯盟務必撐住，七天後，當第一縷陽光照射到 SG 城時，我一定趕回來。”

貝吉看著荆帆上了飛船，只能點頭答應。

兩天後，荊帆登陸火星。火星早已被劃分成了十一個基地，但荊帆的目標很清晰，他要去四維神廟。

四維神廟，傳說是一個高等文明進行文明進化實驗的場所，那是一個高維空間，三維生物想要找到進入四維空間的真正入口並不容易。一百多年來，有無數人進行嘗試，但都沒能成功。

荊帆來到四維神廟前，神廟前矗立著一塊方石碑，上面刻著三維碼，據說三維碼中存儲著無數的文明信息，是高維文明使用的記錄儀。荊帆繞過石碑，穿過拱門，進入四維神廟。

四維神廟中是一個神奇的世界，它由八個空間構成，其中有一個大世界，六個相同的中世界，還有一個小世界。荊帆在其中穿梭，但無論如何都找不到他父母的痕跡，也沒有任何腦矩陣所說的創世秘密。

也許這只是四維空間在三維世界的投影？荊帆想，可能自己只有進入真正的四維空間，才有可能觸碰到真正的秘密。

嘗試多次後，荊帆終於進入小世界中，這是一座神殿，殿內並沒有什麼與眾不同之處，唯一讓荊帆覺得神奇的，是眼前那幅畫。那幅畫像極了哥德爾的畫，他覺得自己正在畫外，但又隱隱覺得自己已經融於畫中。注目許久，他已經無法區分自己是不是畫中人了。

也許這就是真正的四維空間的入口。

荊帆朝著那幅畫走去，他伸出手輕輕觸碰畫的中心，竟感覺到有波紋浮動，像是小時候在河邊丟出一顆小石頭，水面蕩起的小小浪花。荊帆大著膽子，將手向前伸去，發現手已經穿過了畫卷，接著，他整個人像是被吸進去一般，消失在畫外。

荊帆感到一陣暈眩，再睜開眼所見的景象令他大感驚訝：這裏的空間無限延伸，讓他想起了曾經看到的一句話：方寸之間，深不見底。

這才是真正的四維空間啊，荊帆感慨道。

就在荊帆感慨之時，一個溫柔的女聲出現。

“你來了。”

“你是誰？”荊帆環顧四周，卻沒有看到任何人影。

“你真的成了持鑰者，孩子。”一個身影浮現在荊帆面前，他下意識地後退兩步，才看清那人的模樣。

一襲長髮，清瘦無比，但依舊無法遮掩她的美麗，她的周圍像是有一圈無形的光暈，塵世間的塵埃根本無法落在她身上。

“你是……”荊帆揉了揉眼睛，他沒有看錯，那是他的母親，他在夢裏曾見過她無數次。

“沒錯，孩子。不過你現在看到的只是一段早已寫好的程序罷了。”

“這到底是怎麼回事？”荊帆一頭霧水，“我父親呢？他怎麼沒有和你在一起？”

“這是關乎創世的秘密，孩子。”母親撫摸著荊帆的頭，歎了口氣，“也是我和你父親的爭執所在。”

“什麼爭執？”荊帆問。

“你應該已經知道，我和你父親是這個世界的創世主之一。其實我們生活在另一個你們看不到的世界，而你們所處的這個世界，是很多人共同創造的，當時我們叫它‘2140’。”

“你是說⋯⋯我們所處的這個世界，只是你們寫出來的一段程序？”

“可以這麼說。”

沉默許久，荊帆才開口：“為什麼創建這個世界？為什麼它叫2140？”

“我們所處的世界存在很多問題，所有人都被‘金錢’主宰著命運，商業控制著一切，我們失去了探索世界的動力，忘卻了對深邃星空的嚮往，世界變得平庸而無聊，生命之間變得非常不平等。所以我們創建了一個新世界，將它命名為元宇宙，創建元宇宙是為了尋找改變的可能性，逃離原來那個淺薄的世界，在這裏建立一個自由、理性、平等、多元、智慧的新世界。至於為什麼叫2140，是因為這個數字在我們的世界是一個非常重要的時間紀元。”

“可為什麼 2140 會走到現在這個地步？”

“我們創建了 2140 這個元宇宙後，從沒想過這個世界會發展得如此之快，主線文明飛快晉升，同時一個個支線文明被創造出來，開拓的基地越來越多，NPC（指不受玩家控制的角色）越來越豐富，數據量也越來越大。我很喜歡這個世界，但你的父親卻不這麼認為，他對此感到害怕。”

“為什麼？”

“他看到的是恐怖的未知。一開始他跟我一樣，也為這個世界歡呼，可當這個世界越來越強大時，他反而開始害怕。他擔心，也許在未來的某一天，這個世界會強大到我們無法控制。它會推翻我們原來所在的世界。”母親說。

“這不太可能。”荊帆說。

“我也是這麼跟你父親說的，不過後來我才發現自己的幼稚。元宇宙的發展，遠遠超出了我們的預期。當你父親想要毀掉我們親手創建的世界時，卻發現已經做不到了，你們所在的元宇宙，已經擁有極強大的生命力。”

“既然這樣，為什麼還需要救世主？”

“你父親沒有成功，但並沒有因此放棄。他通過預言機的程序得知，你們所在的元宇宙將於 2140 年到達算力巔峰，他便在這個世界的程序裏加入了一段 Bug 代碼，這段代碼會融於整個系統中，當算力躍遷時，數據也會隨之增多，這個 Bug 會通過吞噬數據而不斷成長。你父親的意圖很明顯，如果你們沒有成長到足以威脅我們的世界，這個 Bug 就永遠不會出現。但一旦實現算力躍遷，Bug 就會自己啟動，進而摧毀元宇宙整個世界。”

"Bug 代碼，就是那些'幽靈大軍'？"

"沒錯。"

"那你現在完全可以清除它。"

"傻孩子，現在的我只是一串數據、一段程序。2140 年，我和你的父親早已不在了。"

荆帆沉默了。

"可我不希望你們這個世界就這麼被摧毀，我愛這個元宇宙，畢竟它是我親手創造的，我捨不得它。"母親説，"也正因如此，我將你看作元宇宙的希望，並留下只有你才能控制的創世私鑰。我擔心你父親知道這一切，所以把這一段數據留在了四維神廟。2140 有它存在的意義，不能因為害怕就把它毀掉。孩子，你能夠登上長老院的頂樓成為守護者，團結六族獲得'創世私鑰'，攀爬天梯到達腦矩陣之巔，這足以證明你有成為救世主的資格。"

"我可以阻擋它們嗎？那些'幽靈大軍'看起來無堅不摧。"

"在創世私鑰面前，它們不堪一擊。"

"我該怎麼使用它？"

"如果六族真的無法抵抗'幽靈大軍'的入侵，你就去算力池，將創世私鑰融於算力池中，那些'幽靈大軍'自然會消散。但記住，不到萬不得已，不要這麼做。"母親説。

"為什麼？"

母親沒有回答，她的身影慢慢消失於黑暗中。

荆帆被迫離開了四維神廟，他知道，隨著母親的消失，四維神廟也已經不復存在了。

他終於明白了自己的使命。

抉擇

七天後，當早晨的第一縷陽光照射到 SG 城時，荊帆趕了回來，情況比他想得還要糟糕，“幽靈大軍”已經侵蝕了六族的各個基地，六族成員傷亡慘重，族長和長老們苦苦支撐。

伯利恆、可能世界、但丁實驗室、圖靈夢境等多個城市基地已經失守，荊帆的出現，讓六族短暫地對“幽靈大軍”進行了反撲，但沒能堅持多久，各族又從戰線上退了下來。城市早已千瘡百孔，殘垣斷壁下，“幽靈大軍”兵臨城下。

六族成員的慘叫聲在他耳邊縈繞，戰爭機器的轟鳴聲不斷在他腦中回響。六族面對“幽靈大軍”根本沒有勝算，荆帆想起母親所說的話，他最終還是手持創世私鑰，來到了算力池。

他看著一望無際的算力池，回想起一年前自己剛到人族時的情景，那個時候他還不相信自己就是救世主，但沒想到預言這麼快就成真了。

荆帆抬起手，準備將創世私鑰丟入算力池中。

“慢著！”一個聲音突然響起。

荆帆收回創世私鑰，轉過頭去，發現有人正凝視自己。

那是他的父親，荆帆同樣曾在夢中見過他的樣子。

“父親，您也是一段殘留下來的數據吧？”荆帆沒有感到意外，他早預料到自己的父親會出現，他是“幽靈大軍”真正的BOSS。

“是的，看來你已經找過你的母親了。”

荆帆點頭。

“你選擇了站在她那一邊？”父親的語氣並不嚴厲，卻有無限威嚴。

“我不想這個世界被毀掉。”荆帆説。

“但未來，我們所在的那個世界就會被你們毀掉。我和你的母親，可能連埋葬屍骨之地都沒有。”

“可這個世界已經遍佈生命。”

“它是被創造出來的，不應該威脅到創世主所在的世界。”

“我相信你的判斷，但我無法親眼看到它被摧毀。在你眼中，它可能只是一段程序，但在我心裏，它是一個實實在在的世界。”

“你跟你母親一樣，內心過於柔軟。”

“我屬於 2140，一個與你們人類文明平行的世界，所以，我不得不這麼做。”荆帆再一次準備把創世私鑰投入算力池，“當你們創造出這個世界時，就應該想到會發生這種情況。”

“我們當然想過，只是沒想到會發展到這樣的程度，原來我們將這個世界當作靈魂的守護地，但從來沒有想過，這兩個世界最終要生死相搏。我們只有一次機會毀滅元宇宙，如果這次沒有成功，你們這個世界再一次復甦後，我們不可能是你們的對手，因為你們的進化速度是我們的 1 萬倍。這兩個世界，只能存在一個。”

“當一個新事物被創造出來，它就不再只屬於創造者，它是一個獨立的個體，更何況是 2140 這樣一個鮮活的世界。它自由、理性，不正是你們當初創建這個世界秉持的理念嗎？”

父親沉默了，也許他的這段程序裏並沒有與這句話相關聯的設定。

“‘幽靈大軍’的出現，已經證明你準備毀滅這個世界了。我不會讓你得逞的。”荊帆説著，那把只有他能夠控制的創世私鑰隨時都有可能墜入算力池。

“就因為救世主這個虛無縹緲的詞，就讓你選擇和他們一起湮滅？孩子，這不公平。人們期待救世主，但不會記得救世主的。”

“不，會被湮滅的是你製造的‘幽靈大軍’。”

“看來你母親沒有告訴你創世私鑰的真正用途。”父親的語氣中透露出無奈與辛酸。

荊帆盯著他，沒有説話，但握著創世私鑰的手微微抖了抖。

“創世私鑰是伴隨著元宇宙一起誕生的，當初設計它時，是擔心世界失控，供創世主使用。當然，我們設立了非常苛刻的條件，只有六族聯合，共同貢獻，才能讓救世主獲得私鑰。當時在我們看來，這是不可能的事情，因為在我們的世界，種族之間是不可能真正團結起來的，我和你母親打過賭，私鑰是不可能在救世主手裏的。”

父親一步步向他走來，荊帆拿著私鑰不斷後退。

“你大概不知道，‘幽靈大軍’這樣的 Bug，擁有極強的破壞能力，而它又是近乎無解的存在，僅靠程序內部的自我修正，是不可能將其消滅的。創世私鑰之所以有這個能力，不是因為它特定針對‘幽靈大軍’這樣的 Bug，而是它本身就是這個世界的重啟程序。”

“你是說……重啟？”

“更準確來講，是抹除所有有序和無序的數據，你應該知道這意味著什麼。”

“就像重新安裝系統一樣，這個世界現在擁有的一切，都將灰飛煙滅。”荆帆一字一句地說。

荆帆明白了，為什麼母親說不到萬不得已不要使用創世私鑰，因為一旦啟動創世私鑰，六族所有成員、所有基地、所有的一切都將成為被湮滅的數據，而且不可逆轉。依靠這種方式，當然可以抵禦“幽靈大軍”的進攻，也可以避免 2140 被銷毀，但也意味著元宇宙會回到設定的初始狀態。

荆帆自己，也將成為一段被遺忘的數據，消失在 2140 的歷史長河中。

“孩子，你不必承擔這樣的重任。這是我們的過錯，把創世私鑰給我，我可以幫你選擇。”父親再一次向荆帆伸出手。

“不……”荆帆搖頭，此時他已陷入兩難之地。

如果把創世私鑰丟進算力池，他父親的這段數據將徹底消失，城外的“幽靈大軍”也將倒下。但荆帆猶豫了，他懸在半空中的手緊緊握著創世私鑰，汗水已經滲在了鑰匙上，滴到了算力池中。

重啟世界，與毀滅世界，到底有什麼不同？

將創世私鑰投入算力池後，六族創造的美麗世界，都將在一瞬間轟然倒塌，成為數據廢墟。

“我們的世界從來不感恩救世主，你們也一樣。當你剝奪了他們生的權利，直接將他們送往地獄之門時，你便成了一個不折不扣的毀滅者。”

救世主，還是毀滅者？荊帆不清楚，自己因為宿命而來，當看清宿命後，卻發現所謂的真相竟是這般殘酷。

他踉蹌著後退幾步，腳邊的碎石頭掉落在算力池中，很快便溶解了。

“荊帆，藍星上的技術已經可以將意識保存下來，我帶你離開這裏回到父母所在的人類文明世界，你的名字將刻在我們世界的榮譽圖騰上。”

荊帆的眼神開始迷茫起來了，他不知道該如何選擇。

“不要做傻事情，孩子。未來這個世界的人，不會記得你做的一切，你的數據會隨著世界重啟而被遺忘，他們會供奉另外的救世主，去信仰他們眼中的神。”

如果使用創世私鑰，現在這個世界的一切也將成為過往雲煙，包括荊帆自己，他將再也無法感受這個世界的樂趣 —— 算力池的博弈、幻次元的學識、腦矩陣的智慧、議事廳的議案審核、創世地圖的種族爭奪、個人空間的美麗星空……

我真的要用這把創世私鑰嗎？荊帆反覆在心裏問自己。

如果不使用，難道就任憑“幽靈大軍”佔領這個世界嗎？

荊帆看著父親，又想到了母親，剎那之間，荊帆心中已閃過無數個念頭。

基地一個個被摧毀，黑暗在不斷迫近，城內外到處都是哀嚎聲。

算力池那不斷奔湧的算力源被污染成了黑色，像一潭污濁的死水。

創世私鑰高懸於算力池上，荆帆的手在不斷地顫抖，他到底要不要使用這把創世私鑰？

如果你是荆帆，你將如何選擇？

責任編輯　龍　田
書籍設計　道　轍
書籍排版　何秋雲

書　　名　元宇宙 —— 設計元宇宙
作　　者　子彌實驗室　2140
出　　版　三聯書店（香港）有限公司
香港北角英皇道 499 號北角工業大廈 20 樓
Joint Publishing (H.K.) Co., Ltd.
20/F., North Point Industrial Building,
499 King's Road, North Point, Hong Kong
香港發行　香港聯合書刊物流有限公司
香港新界荃灣德士古道 220-248 號 16 樓
印　　刷　美雅印刷製本有限公司
香港九龍觀塘榮業街 6 號 4 樓 A 室
版　　次　2022 年 7 月香港第一版第一次印刷
規　　格　32 開（130 mm × 190 mm）176 面
國際書號　ISBN 978-962-04-4963-5